GESTÃO do AMANHÃ

TUDO O QUE VOCÊ PRECISA SABER SOBRE GESTÃO, INOVAÇÃO E LIDERANÇA PARA VENCER NA 4ª REVOLUÇÃO INDUSTRIAL

CB038792

Durante toda esta obra você terá acesso a vídeos complementares de *talk shows* realizados com alguns dos principais *experts* do ambiente empresarial brasileiro. Basta acessar o QR code ou o link apresentado no quadro para assistir às entrevistas que trazem a visão desses líderes, o que vai contribuir para seu entendimento pleno da obra.

Nesse primeiro vídeo, disponível no link http://promo.editoragente.com.br/gestao-do-amanha, você verá uma apresentação dos autores, Sandro Magaldi e José Salibi Neto, sobre as principais características da obra.

Para ler este código, é muito fácil! Baixe em seu celular, smartphone ou tablet um aplicativo para leitura de QR code. Toda vez que encontrar este símbolo durante a leitura, abra o aplicativo, aponte a câmera do seu aparelho para a imagem e acesse o vídeo.

SANDRO MAGALDI | JOSÉ SALIBI NETO

[GESTÃO do AMANHÃ]

TUDO O QUE VOCÊ PRECISA SABER SOBRE GESTÃO, INOVAÇÃO E LIDERANÇA PARA VENCER NA 4ª REVOLUÇÃO INDUSTRIAL

Diretora	
Rosely Boschini	
Gerente Editorial	
Rosângela de Araujo Pinheiro Barbosa	
Assistente Editorial	
Juliana Cury Rodrigues	
Controle de Produção	
Fábio Esteves	
Preparação	
Geisa Oliveira	
Projeto Gráfico e Diagramação	
Join Bureau	Copyright © 2018 by Sandro Magaldi e José Salibi Neto
Revisão	Todos os direitos desta edição são reservados à Editora Gente.
Fabiana Medina	Rua Natingui, 379 – Vila Madalena
Capa e Ilustrações de Miolo	São Paulo – SP, CEP 05435-000
Sergio Rossi	Telefone: (11) 3670-2500
Impressão	Site: www.editoragente.com.br
Gráfica Bartira	E-mail: gente@editoragente.com.br

Dados Internacionais de Catalogação na Publicação (CIP)
Angélica Ilacqua CRB-8/7057

Magaldi, Sandro
    Gestão do amanhã: tudo o que você precisa saber sobre gestão, inovação e liderança para vencer na 4ª revolução industrial / Sandro Magaldi e José Salibi Neto. – São Paulo: Editora Gente, 2018.
    256 p.

    Bibliografia
    ISBN 978-85-452-0229-5

    1. Administração de empresas 3. Sucesso nos negócios 3. Liderança 4. Empreendedorismo I. Título II. Salibi Neto, José

18-0079   CDD 658

Índices para catálogo sistemático:
1. Administração de empresas   658

Dedico este projeto àquelas que fazem com que eu trabalhe incansavelmente para um amanhã melhor, as preciosidades da minha vida: minha esposa, Valeska, e minhas filhas, Isabella e Mariana. Também dedico esta obra a pessoa que me ensinou a valorizar na prática o amanhã com sua história de vida: minha querida irmã, Moniza.

SANDRO MAGALDI

Para Luciana Mancini Bari Salibi, este livro sempre foi para você. Te amo.

JOSÉ SALIBI NETO

Apresentação

Março de 2018. Foi nesse mês que lançamos a 1ª edição desta obra. Nossa expectativa era muito otimista já que observávamos uma mudança nas estruturas do mundo em escala inédita na história da humanidade.

Os efeitos advindos da revolução tecnológica já eram sentidos em todos os segmentos da economia e crescia um sentimento generalizado de que, realmente, as coisas estavam mudando de modo consistente e essencial.

A ascensão das *startups* no país se consolidava com o surgimento do primeiro unicórnio brasileiro (empresas de alto impacto com valor de mercado superior a 1 bilhão de dólares): a 99, aplicativo de mobilidade urbana. No mesmo mês de março, o Nubank comunicou um novo aporte financeiro que lhe promoveu ao mesmo status.

As empresas tradicionais começavam a perceber que estava acontecendo alguma mudança na estrutura em que se acostumaram a dar as cartas. Novas tecnologias como Inteligência Artificial, Internet das Coisas, *Big Data*, Realidade Virtual, dentre tantas definições que antes só estavam presentes em distantes obras de ficção, emergiam com força e representavam desafios inéditos para a gestão corporativa.

Foi a percepção clara de que o mundo nunca mais seria o mesmo que nos motivou a produzir uma obra que se dedicasse a explorar as características desse novo ambiente e sua influência para o contexto empresarial.

Respeitando nossos princípios, iniciamos o projeto realizando um estudo sobre a evolução da gestão. Para enunciarmos as transformações atuais é vital entendermos a origem de seu progresso. Abrimos a obra mostrando nosso respeito pela essência do pensamento gerencial ao mesmo tempo em que assumimos que há uma evolução em curso que reforça a necessidade de revisarmos nossos conceitos e perspectivas sobre o tema.

Tendo essa visão sedimentada, iniciamos uma jornada por diversas dimensões do mundo da gestão como estratégia, modelos de negócios, educação e liderança.

Encaramos a obra *Gestão do amanhã* como um manifesto, uma declaração aberta onde demonstramos as características principais desse novo mundo visando alinhar a todos os leitores do que se trata esse contexto que é cantado em verso e prosa aos quatro cantos, porém, sem, muitas vezes, uma maior profundidade de análise.

Nossa proposta sempre foi ir além dos modismos e das fórmulas fáceis e mostrar, de maneira didática e com uma linguagem simples, que estamos diante de uma das maiores revoluções de todos os tempos.

A jornada tem sido exitosa. Confessamos que até surpreendente, já que superamos mais de dez reimpressões em uma escalada de crescimento que não cessa. Esse projeto nos estimulou a continuar na nossa caminhada buscando estruturar um pensamento sobre gestão original que abrace todas as suas nuances.

Para nortear nossa jornada, desenvolvemos um *framework* de trabalho que está baseado em nossa visão dos pilares de sucesso de uma organização atualmente.

De acordo com essa perspectiva, para que uma empresa seja bem-sucedida, ela deve ter um bom entendimento do mercado onde está inserida (o ambiente externo) e harmonizar três sistemas a esse contexto: cultura organizacional, estratégia e liderança.

Como consequência desse pensamento, lançamos a obra *O novo código da cultura: vida ou morte na era exponencial* (Gente, 2019), que explora em profundidade todo contexto da cultura organizacional apontando, com diversos exemplos e referências práticas, os elementos para um sistema mais alinhado aos dias atuais.

Na sequência, veio *Estratégia adaptativa: o novo tratado do pensamento estratégico* (Gente, 2020), no qual evidenciamos todos nossos estudos sobre o tema apresentando as bases do *framework* de um sistema estratégico adaptado a esse novo mundo seguido por um mergulho no modelo de plataformas de negócios.

E vem mais coisa por aí, pois não vamos parar tão cedo.

Nosso processo de pesquisa e produção de conteúdos é uma metáfora desses novos tempos. É imperativo acelerarmos o passo para darmos conta de um ambiente cada vez mais veloz e incerto.

Se esse contexto já era complexo, com o advento da maior pandemia da história recente, observamos uma aceleração no processo de adoção tecnológica e a inserção de novos comportamentos e formas de trabalho que exponenciam a velocidade das mudanças

Nossa perspectiva pessoal é de que as mudanças só estão começando a formar um tsunami de proporções gigantescas. Esse processo tende a perdurar por um bom tempo e temos dúvidas se cessará em algum momento. Nosso compromisso é continuar em nossa jornada de pesquisa, produção e compartilhamento do melhor conteúdo sobre gestão para esses novos tempos.

Temos a corajosa missão de ambicionar que o melhor do pensamento gerencial do mundo está sendo produzido aqui no Brasil. E esta é uma obra coletiva que conta com sua participação como leitor e protagonista dessa revolução.

Boa leitura!

Sandro Magaldi e *José Salibi Neto*

Sumário

INTRODUÇÃO

Bem-vindo aos melhores anos de sua vida!...... 13

PARTE 1: A HISTÓRIA DO MANAGEMENT

Da máquina a vapor à 4ª Revolução Industrial:
a evolução do mundo da gestão 23

    O começo de tudo: a invenção do motor a vapor 24

    E surge Peter Drucker... 26

    Drucker, Deming, Juran... 27

    A ascensão do mercado de consumo.......................... 29

    A hora e a vez da estratégia 30

    A popularização da cultura do management..................... 32

    O impacto da tecnologia no ambiente empresarial 33

    Novas visões para novos desafios 38

    O mundo começa a se "disruptar"............................. 39

PARTE 2: O MUNDO DA GESTÃO NA 4ª REVOLUÇÃO INDUSTRIAL

CAPÍTULO 1

O futuro não é mais como era antigamente... 51

CAPÍTULO 2

"Qualquer companhia desenhada para ter sucesso no século XX está destinada a fracassar no século XXI"...... 61

CAPÍTULO 3

Os modelos de gestão na 4ª Revolução Industrial............ 85

O novo paradigma nos negócios 87
O efeito rede e modelo das cinco forças competitivas
    de Michael Porter 92
A visão da empresa como plataformas de negócios 99
Os motores de crescimento 1 e 2 116
What business are you in? 126
O valor do encontro de gerações 130

CAPÍTULO 4
O ensino tradicional de gestão está falido? 139
As limitações do atual modelo de educação em gestão 150
Uma nova filosofia de educação para um novo mundo 157

CAPÍTULO 5
O perfil do líder da 4ª Revolução Industrial 171
O líder como criador do futuro 175
Pense bold 182
O Propósito Transformador Massivo 187
O líder como tomador de riscos 193
O líder como entendedor da Lei de Moore,
    plataformas e novas tecnologias 202
Foco no cliente, cliente, cliente... 215
A capacidade de fazer grandes perguntas 222
O líder conector 226
O equilíbrio emocional: a base de tudo 237

CONCLUSÃO
Bem-vindo ao admirável mundo novo! 243

Índice geral de empresas citadas no livro 249
Referências bibliográficas 253

Introdução:

BEM-VINDO AOS MELHORES ANOS DE SUA VIDA!

Um dos desenhos animados mais populares da história da humanidade foi *Os Jetsons* – que fascinava a audiência com um mágico exercício de futurologia –, produzido pelo lendário estúdio Hanna-Barbera, responsável por obras-primas, como *Os Flintstones*, *Tom e Jerry*, dentre tantas outras animações que marcaram a vida de milhões de brasileiros.

Em Orbit City, George Jetson lidera uma divertida família típica norte-americana com a esposa Jane, dois filhos, Elroy e Judy, um simpático cão, Astor, e uma empregada doméstica robô, Rosie, que cuida da limpeza do lar com uma infinidade de quinquilharias e ferramentas acionadas automaticamente por diversos botões.

A série foi lançada na década de 1960, porém só nos anos 1980 adquiriu imensa popularidade entre as famílias brasileiras que se encantavam, debruçadas em seus televisores, com carros voadores, cidades suspensas, trabalho automatizado, robôs realizando atividades de seres humanos e toda a sorte de aparelhos eletrodomésticos e de entretenimento autônomos.

Ao longo de mais de cinquenta anos, essa realidade fez parte de um imaginário distante, inacessível. Nos últimos anos, entretanto, o que era uma abstração tem se tornado, a passos cada vez mais largos, uma realidade onipresente.

As transformações pelas quais passa a sociedade são tão velozes que os indivíduos não conseguem perceber racionalmente o processo de mudança. Seus impactos, no entanto, são e serão mais sentidos do que nunca, e, como resultado, emergem discussões e reflexões profundas sobre o futuro da humanidade.

Qual será o futuro do trabalho com a automatização crescente? Os robôs irão substituir o ser humano? Qual é o limite da tecnologia e como ela impactará a sociedade?

O que era uma verdade apenas para a família Jetsons transformou-se em uma realidade inequívoca que dá novas cores à sociedade.

Existe um conceito no campo da Física intitulado "ponto de bifurcação". Simplificando uma definição complexa, um ponto de bifurcação representa uma mudança dramática e súbita na trajetória de um sistema que estava em equilíbrio. Nesse momento, ele pode se decompor ou imergir em novos estados. A complexidade desse movimento é tão grande que nunca é possível predizer o caminho que o sistema vai seguir e suas características.

Tomando emprestada a definição do conceito físico para a realidade atual, a sociedade está diante de um ponto de bifurcação histórico. Coabitam o novo, representado pelas recentes tecnologias, inovações e rupturas, e o clássico, o tradicional, forjado ao longo de séculos de convivência e de desenvolvimento humano.

A nova era é conhecida como 4ª Revolução Industrial, a mais abrangente, profunda e ampla da história. Em um mesmo momento da humanidade, há confluências de forças tecnológicas que, por si sós, já teriam o potencial de transformar o planeta. Atuando de forma síncrona e em sinergia, no entanto, têm uma energia avassaladora.

Essa revolução é poderosa, pois não transforma apenas as coisas. Ela está modificando a forma como indivíduos vivem, trabalham e se relacionam uns com os outros. Está alterando a vida tal como nos habituamos e conhecemos.

Hoje, fazem parte do vocabulário corrente da população termos e conceitos – que estão mais presentes do que nunca e vieram para ficar –, como inteligência artificial, *big data*, internet das coisas, robótica, algoritmos, plataformas digitais, dentre tantos outros que até pouco tempo atrás estavam circunscritos a terminologia típica de cientistas e nerds.

O mundo corporativo, com líderes encasulados em seus confortáveis e seguros gabinetes, não passa incólume a essa transformação. A arrogância proveniente de quem sabe de tudo e traz em seu repertório a certeza das verdades absolutas constrói uma barreira quase intransponível para a invasão do novo, e convicções muito arraigadas têm um efeito perverso que favorece a manutenção do *status quo*.

O discurso pode ser modernoso, porém além da fala existe a prática. E, nesse território, os desafios são imensos. Recente pesquisa apresentada pela consultoria Deloitte mostra que, em média, as empresas brasileiras irão investir míseros 3% em inovação em 2018. A melhor forma de avaliar intenções que de fato estão por trás dos discursos floreados é verificar o caminho do dinheiro. Essa é a autêntica hora da verdade.

É nesse universo que se proliferam modelos de gestão provenientes do período da 1ª Revolução Industrial, como os organogramas (representação gráfica utilizada, em larga escala, para as empresas mostrarem como estão dispostas suas unidades funcionais e hierarquia. Registros históricos apontam que o organograma foi criado em 1856). Faltam adjetivos para descrever quão bizarra é a constatação de que a maior parte das organizações do mundo utiliza, de forma central em seus negócios, uma ferramenta estratégica que foi desenvolvida há mais de 150 anos!

O cenário, porém, é mais crítico ainda.

O processo de transformação só acontece por intermédio das pessoas, sendo a educação um dos seus vetores mais relevantes. Para que o movimento se consubstancie na prática, é requerido que os indivíduos entendam a dinâmica das mudanças, que sejam educados conforme essa nova realidade.

Como nossos mecanismos formais de educação e seus agentes estão lidando com esse novo mundo?

A resposta para essa provocação é fácil: da mesma forma que estavam lidando em 1800, ou há mais de duzentos anos. Não existe uma referência histórica definitiva, porém está claro que o modelo atual de educação com o formato da sala de aula e do professor consolidou-se na Revolução Francesa.

Mais uma bizarrice contemporânea: nossos modelos formais de educação remontam a uma realidade de mais de duzentos anos e, se confrontados à luz de todos os avanços tecnológicos e sociais, tornam-se uma ficção tal qual eram os robôs dos Jetsons ou, para nos mantermos no campo das animações míticas, pré-históricos como os dinossauros dos Flintstones.

E os líderes atuais? Como têm se comportado perante um mundo em ebulição cuja natureza das relações obedece a uma nova ordem? A resposta, como não poderia ser diferente, não foge muito das provocações anteriores.

Foi na primeira metade do século XX que Henri Fayol definiu alguns parâmetros críticos numa das primeiras incursões da chamada administração científica. Foram agregados conceitos, como autoridade, unidade de comando, hierarquia estrita, prioridade da organização em relação ao indivíduo, unidade de direção, dentre outros direcionamentos para o negócio que norteariam, a partir dali, a posição do líder no relacionamento com seus subordinados.

Não é necessária nenhuma pesquisa em profundidade para concluir que muitos dos executivos atuais continuam rezando na cartilha de Fayol que refletia uma sociedade de cem anos atrás. Pretensos líderes vão mais longe ainda: atuam como feitores do regime escravocrata, pautando seus atos e comportamentos pelo mais vil e ultrapassado autoritarismo.

O mundo corporativo ainda está muito aferrado ao passado.

É chegada a hora da mudança. É o momento definitivo da busca por novas referências para lidar com um novo mundo.

Algumas organizações e líderes já se deram conta dessa demanda e se adaptaram rapidamente ao ambiente. Setores inteiros estão sendo disruptados (outra palavrinha nova que estará, cada vez mais, no centro das atenções) por empresas que começaram sua jornada por meio do voluntarismo de jovens impetuosos que, libertos das amarras do passado, se abriram ao novo e fizeram uma leitura adequada das transformações.

Organizações seculares perdem relevância e são subjugadas à segunda divisão do mundo empresarial, tornando seus negócios obsoletos, ultrapassados.

A boa notícia é que tudo está em aberto. Tal qual um jogo de videogame, as organizações estão começando uma nova jornada do zero e devem se esmerar para "passar de fase" e considerar que tudo o que fizeram serve como repertório e experiência, porém não como chave para a prosperidade.

A ambição deste livro é trazer luz a esse novo contexto, gerando mais ação do que reflexão crítica. Muito se fala das características do ambiente apresentado, do potencial das novas tecnologias, da magia existente por trás disso tudo. É necessário, porém, sair do campo da ficção, da animação dos Jetsons e partir para a prática.

Como as organizações e seus líderes devem se comportar para superar os desafios e, sobretudo, aproveitar as imensas oportunidades advindas desse admirável mundo novo?

Para explorar o tema proposto, esta obra está dividida em duas partes:

- Para prever as possibilidades do futuro, é necessário entender a essência do passado, dos fundamentos, das raízes da nossa origem. A primeira etapa dessa jornada se dedica a construir uma visão sobre a história do mundo do management. Mais do que uma linha do tempo, o objetivo é mostrar como as principais transformações do ambiente corporativo foram provenientes de mudanças sociais que são as catapultas de qualquer processo de evolução empresarial. Uma organização é uma entidade social e é nesse ambiente que ela milita e realiza seu processo de troca com a sociedade. Para ter referências, indícios, dicas sobre o que está por vir, é preciso entender, em profundidade, a origem de tudo. Esse é o objetivo da parte 1 da obra.
- A transformação no ambiente empresarial vai demandar novos modelos de gestão, novos processos de aprendizagem e novos líderes. A parte 2 do livro se dedica a apresentar

referências práticas para executar as mudanças nesses três campos. O capítulo 1 mostra uma visão introdutória a respeito da forma como a sociedade e os indivíduos lidam com rupturas tecnológicas. No capítulo 2, a mesma visão é expandida para o ambiente empresarial: como esse contexto encara as transformações e quais são os principais vetores que impulsionam a 4ª Revolução Industrial. Nos capítulos subsequentes, é apresentada uma visão prática dos novos modelos de gestão, de aprendizado e quais novas competências o líder deve desenvolver para obter êxito nesse novo cenário.

A base para a tangibilidade dos conceitos apresentados são casos práticos de empresas e líderes que têm sido capazes de decodificar esse novo código da humanidade.

Para que você possa realizar uma reflexão prática sobre os conceitos apresentados, ao final de cada capítulo, sempre estarão disponíveis duas ferramentas: o Mapa Mental, representação gráfica que sumariza os principais ensinamentos propostos naquele conteúdo em específico e uma relação das Questões Essenciais para Reflexão Estratégica cuja proposta é funcionar como uma checklist para que você avalie seu status em relação aos conceitos apresentados.

Esta obra é fruto de extensivo estudo de seus autores que dedicaram toda a vida à educação executiva, estudando e interagindo com os principais pensadores da gestão e líderes empresariais em todo o mundo.

Inúmeras fontes foram pesquisadas e consultadas, visando não apenas corroborar as teses apresentadas, mas, sobretudo, trazer ao leitor uma visão que, ainda que inacabada e incerta, traga a clara perspectiva de reflexão para ação.

É importante destacar a relevância para o desenvolvimento do pensamento aqui expresso de obras que contribuíram decisivamente para a formação da base desse conteúdo e são leitura obrigatória. São elas: *Organizações exponenciais*, de Salim Ismail, Michael S. Malone e Yuri van Geest; *Whiplash*, de Joi Ito e Jeff Howe; e *Plataforma: A revolução da estratégia*, de Van A. Marshall, Geoffrey Parker e Paul Choudary.

Não existe outro momento mais vibrante na história recente da humanidade. Um ambiente repleto de desafios reserva oportunidades até então não mapeadas. O mundo está em aberto. A vida está em aberto.

Não há tempo a perder. É necessário arregaçar as mangas e fazer acontecer.

Mãos à obra!

Parte 1:
A história do management

Da máquina a vapor à 4ª Revolução Industrial:
A EVOLUÇÃO DO MUNDO DA GESTÃO

Peter Drucker, o Guru dos gurus, reiterou uma sentença que, apesar de óbvia, ainda é negligenciada por muitos: uma organização é uma entidade social. Sua ação se concretiza na sociedade, e o valor que cria traz benefícios ou prejuízos a esse contexto.

Portanto, a dinâmica existente no ambiente corporativo reflete os movimentos sociais. Com a onipresença das empresas na rotina dos cidadãos, começou a ocorrer uma simbiose em que a sociedade influencia e é influenciada pelos movimentos corporativos e vice-versa. Uma das formas mais vibrantes para entender a evolução do ambiente de negócios é avaliar os movimentos do macrocontexto social e como eles modelaram historicamente o pensamento sobre gestão.

Essa realidade se inicia com o surgimento das bases formais de uma empresa com o advento da Revolução Industrial. De lá para cá, muita coisa mudou e tem mudado...

O começo de tudo: a invenção do motor a vapor

A ciência da gestão de empresas começa a nascer na virada do século XVIII para o XIX, como consequência da 1ª Revolução Industrial, que é considerada um dos eventos mais importantes da história da humanidade.

No contexto social, o principal impulsionador foi a invenção do motor a vapor. Até então, o desempenho de um negócio dependia exclusivamente da força humana ou animal. Com o advento das máquinas a vapor, uma única máquina era capaz de realizar o trabalho de centenas de cavalos.

Na expansão das fábricas que surgiram na época, as ferrovias tiveram papel fundamental, visto que as locomotivas a vapor transportavam grandes cargas em um único dia e levavam o excedente de produção a mercados ainda inexplorados.

O impacto desse movimento na sociedade foi espantoso. O crescimento econômico atingiu níveis inéditos e nasceu ali uma nova dinâmica social. Motivados pelos efeitos dessa transformação, sobretudo pelo incremento exponencial de seus lucros, empresários e empreendedores mudaram sua mentalidade e começaram a projetar novas fábricas que logo se transformaram em indústrias.

Um dos pilares do novo pensamento organizacional foi a especialização do trabalho. Surgiu, então, uma figura que ocuparia lugar central na sociedade: o trabalhador.

Com a rápida evolução da industrialização, emergia a demanda por um pensamento científico cujo principal objetivo era aumentar a produtividade das fábricas. Começaram a surgir em todo o mundo, de maneira totalmente inédita e inovadora, métodos e modelos de gestão.

Em 1874, do outro lado do oceano, nos Estados Unidos, o jovem Frederick Taylor foi trabalhar como aprendiz na fábrica de um amigo de seu pai em vez de ir estudar em Harvard, onde tinha sido admitido com louvor. Após quatro anos como aprendiz, foi contratado pela siderúrgica Midvale Steel Works. Ali começou a estudar os problemas da organização industrial.

Data da primeira etapa de seus estudos a racionalização do trabalho do operário; da segunda etapa surgiu seu livro *Princípios da administração científica*, publicado em 1911. O trabalhador, dizia ele, não pode analisar racionalmente sua tarefa, muito menos determinar qual é o processo mais eficiente: precisa ser criada uma nova função que faça isso, a de "gerente". Trata-se de uma visão bem diferente da até então existente, segundo a qual o aumento da produção e a seleção do método de trabalho dependiam da iniciativa individual do operário.

Nesse pensamento repousa o embrião da tese sobre produção em massa, popularizada por Henry Ford em sua companhia homônima, que revolucionou os métodos da época ao implantar o conceito de linha de montagem e ao obter ganhos inéditos de produtividade. Fundamentais para o êxito desse pensamento foram a invenção e a popularização da eletricidade, a qual tornou possível a implantação de novas máquinas e sistemas. Esse período, que data da segunda metade do século XIX até o início do século XX, é tido por alguns historiadores como a 2ª Revolução Industrial.

Vale mencionar o contexto em que a escola científica se desenvolveu. Os Estados Unidos passavam por uma revolução ao deixarem de ser um país eminentemente rural. A transformação se deu graças à potência das indústrias de Andrew Carnegie, John D. Rockefeller e J. P. Morgan – petróleo, aço, finanças. Na Europa continental, a administração científica chegou por meio de Henri

Fayol, teórico francês que identificou as cinco funções do gerente: planejar, organizar, dirigir, coordenar e controlar.

Fayol buscou sistematizar os princípios básicos da gerência eficaz após cinquenta anos de experiência na área. Aos métodos de trabalho e técnicas operacionais existentes, o especialista agregou: a autoridade (funcional e pessoal); a unidade de comando e a hierarquia estrita; a prioridade da organização em relação aos indivíduos; a unidade de direção ou de objetivos corporativos; a centralização; e, como extensão da unidade de comando, o espírito de equipe.

Essa fase do universo da administração, com suas referências e seus pensadores, foi o embrião do que ficou conhecido como o método de gestão científica. Com o tempo, evoluíram análises sobre o alcance do método e suas limitações. Dessa reflexão, emergiu um pensador austríaco que, com provocações e estudos, iria revolucionar o pensamento sobre a gestão em todo o mundo.

E surge Peter Drucker...

Formado em Direito, Peter Drucker logo se apaixonou por comércio exterior e temas correlatos ao mundo corporativo. Após lançar *The future of industrial man*, foi convidado, em 1943, a fazer um estudo de dois anos sobre uma análise social e científica na maior empresa do mundo na época, a General Motors.

Seu maior interesse era entender o processo de tomada de decisões, ou seja, a distribuição de poder. O resultado disso é o livro *Concept of the corporation*, lançado em 1946, que traz as fundações para que a gestão se torne uma disciplina científica.

Também foi na década de 1950 que Drucker promoveu uma nova ruptura na gestão de empresas: em 1954, com o livro *Prática de administração de empresas*, ele iniciou o processo de integração do planejamento estratégico, do marketing e das finanças, enunciando o conceito de marketing moderno.

Os estudos de Drucker trouxeram maior sofisticação aos modelos de gestão de empresas ao integrarem todas as disciplinas em um pensamento único. Em consonância com o início da valorização do indivíduo na sociedade da época, o pensador também evidenciou uma nova dimensão à função do trabalhador, ao reconhecer a importância de seu conhecimento e de seu potencial de realização individual. Para simbolizar essa visão, cunhou o termo "trabalhador do conhecimento" no final da década de 1950.

Drucker foi o primeiro pensador do universo da gestão a expor a visão a respeito dos limites da gestão científica, sobretudo no que diz respeito à forma como os líderes da época encaravam seus recursos humanos.

Sua visão serviu como base para uma revolução no pensamento gerencial que teve origem no Japão do pós-guerra e que abalou os modelos até então soberanos.

Drucker, Deming, Juran...

Como um dos reflexos do plano de recuperação dos países devastados pela Segunda Guerra Mundial, o Japão recebeu forte estímulo dos Estados Unidos na reconstrução de sua economia. Além de Peter Drucker, Edward Deming e Joseph Juran desenvolveram um projeto ambicioso no país baseado em técnicas estatísticas que levariam ao movimento de qualidade total (TQM) e de todas as variáveis predecessoras do 6-Sigma. A sistematização do trabalho e a visão de gestão de projetos tiveram forte aderência à cultura oriental, sobretudo no que concerne à disciplina, e levaram as organizações japonesas a competir de maneira decisiva com as empresas norte-americanas.

A maior contribuição de Peter Drucker na evolução desse modelo foi o entendimento de que o trabalhador deve ser encarado pela organização como um de seus principais ativos estratégicos, e não apenas como custo, forma como a economia norte-americana o concebia: mero recurso. Os líderes da economia japonesa absorveram essa visão como ninguém e implementaram uma nova forma de gestão das pessoas.

A recuperação da economia de um país baseada em um modelo de gestão organizacional que privilegia a qualidade total na produção de seus bens aliada ao entendimento do potencial dos trabalhadores teve um efeito devastador no mundo dos negócios. Afinal, um país inteiro, arrasado pela guerra, recuperou-se embasado nesses pilares e em um novo pensamento organizacional.

Décadas mais tarde, as principais organizações mundiais conscientizaram-se dos benefícios desse modelo de gestão e adotaram suas práticas ancoradas na visão da qualidade total dos produtos fabricados e no conceito de trabalhador do conhecimento.

Os impactos dos estudos e do pensamento de Peter Drucker não se circunscreviam exclusivamente a esse contexto da sociedade e iriam expandir seus tentáculos em outras mudanças na gestão dos negócios, como será observado mais adiante.

A transformação da Administração em disciplina acadêmica e o crescimento da importância dos negócios na sociedade motivaram milhares de jovens a estudar tal contexto com mais afinco. A partir dos anos 1950, aconteceu uma verdadeira explosão dos cursos de MBA (*Master in Business Administration*, em inglês, ou Mestre em Administração de Negócios, em português), que absorveram todo esse interesse lançando novos estudos e conceitos.

Na sociedade, fortaleceu-se o movimento de valorização dos indivíduos que se descobriam como consumidores. Os protagonistas do mundo da gestão perceberam a necessidade de uma orientação maior de seus negócios ao mercado, aproveitando seu crescimento cada vez mais latente. Nesse ponto surgiram dois pensadores que iriam ampliar e decodificar a visão de marketing lançada por Drucker.

A ascensão do mercado de consumo

Um dos fenômenos mais marcantes da década de 1960 é a ascensão do mercado de consumo. O movimento se iniciou fortemente nos Estados Unidos e espalhou-se pelo mundo. Atentos ao acontecimento social, dois pensadores se destacaram por meio de seus estudos sobre esses impactos.

O primeiro é Theodore Levitt que, em "Marketing myopia", um dos artigos mais relevantes da história da humanidade publicado na *Harvard Business Review*, preconizou que as empresas deviam redefinir o foco de sua atuação orientando os esforços para as demandas dos clientes em detrimento exclusivamente do próprio negócio. A crítica voltou-se ao modelo orientado apenas aos ganhos de produção provenientes da gestão dos recursos internos da corporação.

Levitt utilizou o declínio da indústria ferroviária nos Estados Unidos, até ali uma gigante soberana, para exemplificar sua visão a respeito da importância de as organizações e seus líderes entenderem de fato o negócio em que estão inseridos para que possam ter o correto foco no mercado.

Gigantes – e soberbas – organizações e líderes do setor não perceberam que estavam no negócio de transporte e não no de trens. Com essa (falsa) percepção do mercado, negligenciaram a emergente indústria automobilística que se aproveitou da mentalidade crescente da sociedade de valorização do indivíduo para trazer um novo conceito de transporte, mais pessoal e único.

Na mesma onda de valorização do mercado de consumo, emergiu o segundo pensador seminal do marketing: Philip Kotler que, em 1969, iniciou o debate sobre a esfera de ação da disciplina ao afirmar tratar-se de uma atividade de longo alcance, aplicada tanto a produtos como sabão ou aço quanto a instituições de caridade.

O marketing, então, era encarado como menos prioritário em relação às demais disciplinas da gestão. O mercado de consumo mudou essa lógica, e Kotler, que ficou conhecido como o "pai do marketing", catalisou essa transformação.

As organizações intensificaram sua relação com os mercados e viram a necessidade de adotar um pensamento estratégico corporativo mais estruturado para equilibrar o balanço de forças com consumidores cada vez mais exigentes e poderosos. Para complicar ainda mais a situação, a competição se acirrou em praticamente todos os setores da economia. Surgiu então o pensamento estratégico na gestão.

A hora e a vez da estratégia

A preocupação com a adoção do pensamento estratégico nas organizações tem suas bases fincadas nas reflexões e provocações de Peter Drucker. Já na década de 1960, Igor Ansoff desenvolveu mais fortemente a ideia de estratégia. Em sua experiência como especialista em planejamento na companhia aeroespacial norte-americana Lockheed Aircraft, o matemático aplicou conceitos revolucionários, como a mudança descontínua e a incerteza em ferramentas de gestão.

Mais adiante, no entanto, lá pelos idos da década de 1980, as ideias e os conceitos de Ansoff foram retomados e valorizados como resultado de um ambiente organizacional muito mais desafiante do que na época em que o pensador desenvolveu seus primeiros estudos.

O crescimento do mercado de consumo trouxe consigo o surgimento de inúmeras novas empresas que, como consequência, gerou o aumento da concorrência em ritmo jamais visto na história dos negócios. Emergiu, então, a necessidade da diferenciação, da conquista de vantagem competitiva para que as organizações prosperassem e fossem longevas.

Nesse período, o professor da Harvard Business School, Michael Porter, desenvolveu a teoria da estratégia competitiva que mostra que as forças que dão forma à estratégia passam por eixos muito diferentes dos contábeis e que os executivos podem ter influência nas condições de seu setor de atividade quando atuam com seus rivais, clientes e fornecedores.

Esse pensamento estratégico consagrou-se no mundo corporativo e valorizou a visão da relevância de gerenciar as forças competitivas que influenciam o negócio na obtenção de resultados superiores.

Porter também retomou e difundiu a ideia de sinergia descrita por Ansoff pela primeira vez na década de 1960: a única justificativa válida para diversificar ou para concentrar negócios é compartilhar competências e recursos entre eles. Isso levou ao conceito de clusters que Porter desenvolveu já no início dos anos 1990, que preconiza o valor competitivo dos agrupamentos de empresas que compartilham recursos e competências.

Como resultado, fortaleceu-se o conceito de conglomerados, organizações que expandem seus tentáculos e crescem operando em diversos setores para ter acesso a recursos mais favoráveis em sua cadeia de valor. Inúmeras companhias, como a norte-americana

GE ou a japonesa Sony, diversificaram a atuação e construíram enormes impérios tendo como foco essa visão.

Em adição à visão estratégica de Porter, dois pensadores trouxeram uma contribuição decisiva orientada a uma visão mais centrada nos recursos internos da organização. C. K. Prahalad e Gary Hamel desenvolveram o conceito das competências essenciais que apregoa que uma organização nada mais é do que a soma das competências essenciais de cada um de seus colaboradores. Uma das missões essenciais de uma organização, segundo os autores, deve ser desenvolver e aprimorar competências que sejam únicas e difíceis de copiar, gerando, dessa forma, vantagem competitiva relevante em relação aos concorrentes.

A evolução da importância das empresas na sociedade, aliada à explosão dos MBAs e do ensino da Administração nas principais universidades de todo o mundo, fez com que o mundo da gestão se encontrasse, definitivamente, com as discussões sociais e fosse disseminado na população como um todo. Em paralelo com a evolução das técnicas e dos conceitos de administração, teve início a popularização do que ficou conhecido como "a cultura do management".

A popularização da cultura do management

Em 1982, um ex-consultor da McKinsey lançou uma obra que se transformaria em um ícone ao catalisar toda a demanda que a sociedade tinha em relação ao acesso e à decodificação do conhecimento sobre gestão: Tom Peters e Robert Waterman lançaram *In search of excellence* [Em busca da excelência].

A obra se tornou o primeiro best-seller da indústria da gestão ao alcançar a inédita cifra de mais de 6 milhões de exemplares vendidos em uma época em que os best-sellers sobre o tema, quando muito, vendiam não mais do que 100 mil exemplares.

Apresentando referências de modelos bem-sucedidos em empresas norte-americanas, Peters e Waterman deram uma resposta à invasão japonesa no mundo da gestão. O resultado da iniciativa foi muito promissor, pois, ao popularizar o conhecimento sobre administração no maior mercado de consumo do mundo, pavimentou a área para o surgimento de centenas de professores e *experts* que encontraram mercado para lançar suas teses e seus conceitos.

Com o surgimento de uma diversidade incrível de autores e pensadores dedicados a refletir sobre os desafios corporativos, o acesso ao conhecimento sobre gestão migrou das mãos dos gestores para o trabalhador comum.

Enfim, o mundo descobriu definitivamente o mundo da gestão.

O impacto da tecnologia no ambiente empresarial

Um dos fenômenos fundamentais para o desenvolvimento de uma sociedade é a tecnologia. O mundo corporativo sempre recebeu essa influência de forma decisiva desde as máquinas a vapor na Revolução Industrial.

A década de 1960 deu início a uma época virtuosa no campo do desenvolvimento tecnológico que fincou as bases para as grandes rupturas que aconteceram no mundo moderno. Alguns historiadores definem esse período como o nascedouro da 3ª Revolução Industrial, impulsionada pela invenção dos computadores *mainframes* e fortalecida por outros desenvolvimentos que iriam mudar totalmente a sociedade dali por diante, como a invenção da internet.

O início da década de 1970 testemunhou outra dessas invenções revolucionárias que iria ter um impacto frontal e decisivo no ambiente empresarial: Gordon Moore, fundador da Intel, desenvolveu o microprocessador, que colocou a tecnologia no centro dos negócios.

O aumento da capacidade de processamento de informações, a um patamar jamais imaginado na história da humanidade e a um preço acessível, possibilitou que as empresas tivessem um nível de conhecimento muito abrangente, inédito, do comportamento dos clientes.

Apesar de o microprocessador ter sido inventado em 1971, os impactos dessa revolução foram sentidos a partir dos anos 1980, quando a tecnologia começou a invadir a vida das empresas e das pessoas. A velocidade das mudanças no mundo se acelerou a níveis inéditos, impactando todos os atores da sociedade.

Essa realidade já era um prenúncio da tese que ficou conhecida como Lei de Moore, criada pelo próprio inventor do microchip, que preconizava que o poder de processamento de qualquer sistema computacional iria dobrar a cada dezoito meses.

No bojo do "novo mundo" surgiram organizações icônicas que seriam as grandes protagonistas da época conhecida como a era da revolução tecnológica. Microsoft, Oracle, SAP, dentre outras companhias, contribuíram para a popularização do acesso de toda a sociedade à tecnologia.

Essa transformação teve sua influência expandida ao mundo da gestão com o início de um movimento que iria se acentuar ao longo dos anos: o empoderamento do consumidor.

Com a maior capacidade de conhecimento de seus clientes, as organizações começaram a desenvolver estratégias individualizadas, concebendo cada consumidor como indivíduo único. Iniciou-se a migração do mercado de massa para mercados de nicho em que segmentos de consumidores passaram a ser valorizados e receber atenção personalizada. Paradoxalmente, esse movimento contribuiu para que os consumidores se tornassem mais exigentes e poderosos, pois também se apropriaram de um maior número de informações e opções para consumo.

O professor Francisco Madia, um dos percursores dos estudos de marketing no Brasil, comenta que, com essa dinâmica, o cliente foi alçado ao palco, pois até então ocupava uma posição na plateia do teatro do mundo dos negócios.

Uma das consequências dessa evolução foi a ascensão de pensadores, como Regis McKenna e Alvin Toffler, que ganharam relevância pelo fato de conseguirem traduzir de forma muito clara a visão do impacto da tecnologia na sociedade e nos negócios.

Outra frente que se fortaleceu foi a microssegmentação, na qual se busca o conhecimento específico e particular do consumidor de forma personalizada. Stan Rapp, com o conceito maximarketing, é resultado dessa perspectiva.

No que se refere à atração de clientes, o conceito-chave é personalização em massa: como desenvolver estratégias que aliem customização com escalabilidade. A tecnologia mudou a forma como, até então, o marketing e seus congêneres eram concebidos.

Os tentáculos da revolução tecnológica, no entanto, não atingiram apenas o marketing. Eles se estenderam por todas as áreas e dimensões das organizações, inclusive na gestão operacional do negócio que teve acesso a instrumentos poderosos por meio de novas ferramentas. Um dos resultados mais relevantes desse movimento diz respeito à otimização de processos e à busca por "fazer mais com menos".

Michael Hammer, ex-professor do MIT (Massachusetts Institute of Techonology), e James Champy começaram a estudar essa dinâmica realizando experiências que utilizam a tecnologia na gestão

Os tentáculos da revolução tecnológica, no entanto, não atingiram apenas o marketing. Eles se estenderam por todas as áreas e dimensões das organizações, inclusive na gestão operacional do negócio que teve acesso a instrumentos poderosos por meio de novas ferramentas. Um dos resultados mais relevantes desse movimento diz respeito à otimização de processos e à busca por "fazer mais com menos".

e desenvolveram o conceito que orienta a organização a processos, desburocratizando os níveis hierárquicos e tornando-a mais ágil. Essa qualidade mostrava-se indispensável para lidar com uma sociedade em que a velocidade crescia de maneira exponencial. As empresas que não conseguiam se adaptar às mudanças aceleradas começavam a sucumbir.

A adoção tecnológica permitiu que os gestores redesenhassem seus processos críticos com mais facilidade e eliminassem o trabalho desnecessário. O movimento conhecido como reengenharia teve um impacto marcante na gestão das organizações, que obtiveram ganhos de competitividade então inéditos.

O conceito foi adotado inadvertidamente por muitas empresas que apenas se dedicaram a programas de redução de custos sem uma interpretação adequada do modelo cuja essência era a busca por ganhos de produtividade. Portanto, houve um exagerado foco na dimensão financeira em detrimento das outras dimensões do negócio.

Muitas organizações e líderes adotaram uma visão imediatista na gestão dos negócios, e a consequência foi inevitável: delapidação dos resultados em longo prazo com sustentabilidade das empresas ameaçadas. Comprometeu-se a visão de futuro em detrimento de uma orientação imediatista.

Novamente, o mundo corporativo refletia o que estava acontecendo na sociedade, na qual o incremento da velocidade começou a alterar a dinâmica das relações sociais. O reflexo da latente rapidez, característica desse novo contexto, foi a tendência por análises mais superficiais e aceleradas em vez de avaliações criteriosas e profundas dos fenômenos em geral.

Alguns pensadores começaram a questionar esse modelo e retornaram a um conceito explorado por Drucker na década de 1950, que promovia o conhecimento como principal vetor de desenvolvimento das organizações.

A complexidade das transformações sociais, que estavam apenas começando, gerou um desconforto generalizado e, cada vez mais, fortaleceu-se a visão de que o conhecimento seria a chave para lidar com um mundo em ebulição. À baila desse desconforto emergiram novos conceitos, novos líderes, e uma nova realidade começou a ser modelada, adquirindo contornos inéditos.

Neste link http://promo.editoragente.com.br/gestao-do-amanha-impacto-da-tecnologia, você poderá assistir um *talk show* que fizemos com Francisco Madia, um dos principais pensadores da evolução do Marketing no Brasil. Nessa conversa exploramos sua visão prática a respeito da importância da invenção do microprocessador e da Lei de Moore trazendo uma perspectiva bem clara e ilustrativa a respeito dos impactos dessa invenção para a transformação atual.

Novas visões para novos desafios

Na busca por conhecimento estruturado – uma fórmula mais científica para o entendimento dos principais vetores e fundamentos da gestão –, um professor da Universidade de Stanford iniciou uma pesquisa abrangente com empresas líderes dos principais setores da economia norte-americana.

Em 1994, como resultado dessa extensa pesquisa, Jim Collins lançou um best-seller, *Feitas para durar*, seguido de outros, todos resultantes de anos de estudos sobre o que dá certo e o que dá errado no mundo dos negócios. O autor adota em suas obras uma linguagem mais simples, menos acadêmica, mais consonante com uma sociedade que valoriza conteúdos acessíveis, que apresentem uma perspectiva prática e menos teórica.

Com o tempo, Collins foi alçado ao posto de um dos principais pensadores do management mundial, uma referência para empreendedores do mundo todo que recorrem a seus conselhos na busca por um melhor posicionamento em um cenário de mudanças extremas. Os achados de suas pesquisas influenciaram outros pensadores a refletir sobre o que estava por vir.

Inovação foi um dos temas que mais ganhou força. A transformação do ambiente requer organizações que inovem constantemente em seu negócio para estarem aptas a lidar com novas demandas do consumidor e outra dinâmica competitiva, visto que começam a surgir novos concorrentes até então não mapeados.

Os ensinamentos do economista Joseph Schumpeter passaram a ser revisitados, e seu conceito de destruição criativa se espalhou. Clayton Christensen, consagrado professor da Harvard Business School, aprofundou seus estudos sobre o tema e sugeriu que as grandes empresas, embora bem administradas, poderiam sofrer perdas diante do choque de inovações "disruptivas" que tornariam obsoletas suas tecnologias e seus modelos de negócio.

Iniciou-se a segunda onda tecnológica cuja principal protagonista era a internet. O que, para alguns, era só um fenômeno de comunicação, gerou uma transformação inédita no comportamento do consumidor. Algumas organizações demoraram a fazer uma leitura correta dessa mudança, e, quando acordaram, era tarde demais.

O mundo começa a se "disruptar"

A internet inaugurou uma nova fase da adoção tecnológica que pode ser traduzida como era digital. Se na primeira fase desse movimento surgiram organizações responsáveis por popularizar a utilização da tecnologia por toda a sociedade, nessa nova era apareceram outras que reinventaram a forma de fazer negócios e inauguraram setores e negócios até então inimagináveis.

A consolidação desse movimento, no entanto, aconteceu de forma gradual. Entre 1995 e 2000, a popularização da web trouxe consigo uma explosão de novas empresas – muitas das quais na região da Califórnia conhecida como Vale do Silício – e tornou conhecido um termo que iria se consagrar ao longo do tempo: startups, empresas inovadoras com alto potencial de escalabilidade e de crescimento.

Boa parte dessas organizações – ou a maioria – iniciaram suas atividades atraídas pelo frisson da internet e sem um modelo de negócio definido, porém conquistaram muitos investidores com base em expectativas futuras que se motivam ainda mais com o êxito de empresas, como a AOL (America Online) que, em poucos anos de existência, angariou mais de 18 milhões de assinantes nos Estados Unidos.

O mundo foi subitamente tomado pela revolução da internet e surgiu o que ficaria conhecido como a bolha das empresas "ponto.com", cujo clímax registrou-se em 10 de março de 2000, quando o índice da bolsa de valores norte-americana Nasdaq, destino predileto das novas empresas digitais, chegou a 5.132 pontos.

O resultado de muita especulação e de expectativas exageradas, em curto prazo, a respeito de um novo ambiente ainda em formação, carente de fundamentação mais sólida, resultou no estouro da bolha das ponto.com, que aconteceu no início dos anos 2000. Em seis dias, o índice Nasdaq declinou 9% e só recuperou o patamar de 5 mil pontos cerca de quinze anos depois.

A derrocada financeira representou um percalço relevante na evolução digital e refreou o ímpeto de crescimento de organizações inovadoras, porém não foi sua sentença de morte.

O planeta já havia percebido a influência de um dos fenômenos mais relevantes do mundo da gestão com forte impacto na evolução da sociedade: o empreendedorismo. Foi o século em que a Apple, que nasceu em uma garagem com Steve Jobs e Steve Wozniak, materializou o conceito de inovação e o colocou na agenda de um número crescente de empresas e setores.

A despeito do estouro da bolha, a internet avançou de forma acelerada na sociedade e conquistou cada vez mais usuários. Inspirados pelo potencial do mundo digital, empreendedores mais maduros com o aprendizado dos erros cometidos iniciaram um movimento de validação de novos conceitos e projetos que visava aproveitar as oportunidades geradas em um mundo onde tudo estava em aberto.

Um fenômeno, cujo termo foi apresentado pela primeira vez no final dos anos 1990 e que começou a ser oferecido comercialmente em 2008, amadureceu e iniciou uma revolução no acesso à tecnologia, fazendo despencar seu valor de acesso e impulsionando os efeitos da Lei de Moore: a computação em nuvem ou *cloud computing*. Ao permitir o armazenamento virtual de dados em milhares de servidores espalhados pelo mundo, as organizações não necessitavam mais realizar vultosos investimentos em servidores e em estrutura, o que propiciou o surgimento de inúmeras empresas que conseguiriam dar vazão à visão transformadora de seus empreendedores por meio de investimentos mais acessíveis.

Os aprendizados até então existentes sobre gestão aliaram-se ao fortalecimento da tecnologia da informação e foram o lastro para o surgimento de novas empresas, que começaram a dar as cartas no mundo dos negócios, por meio de modelos inéditos, desconstruindo setores inteiros, como os de mídia, turismo, transporte e comércio.

Foi o início da consolidação da era digital. **Empresas líderes, verdadeiros ícones e protagonistas da ascensão tecnológica, como**

Microsoft, Oracle dentre outras, buscaram encontrar novos modelos e se reinventar com a aquisição de negócios provenientes do mundo digital.

Muitas organizações ficaram pelo caminho por não entenderem a nova dinâmica dos negócios. A história se repetiu, e – como as empresas ferroviárias, que sucumbiram ao não enxergarem em qual mercado estavam – organizações prósperas foram dizimadas.

Eram empresas de mídia que não conseguiram se adaptar à nova forma de distribuição do conhecimento, empresas inovadoras, como a Nokia, que não entenderam exatamente seu modelo de negócios, ou organizações que já foram símbolo de um novo segmento, como a Motorola, no setor de celulares, que não se deram conta dos impactos da Lei de Moore. Todos esses exemplos têm em comum um aspecto essencial: elas inebriaram-se com o próprio sucesso e falharam, muitas vezes absortas em sua arrogância, ao não realizar uma leitura correta do contexto em que atuavam.

Um fato histórico teve importância fundamental na evolução dos acontecimentos. Em 2001, Steve Jobs ressurgiu em grande estilo após um período em que foi afastado da empresa que fundou. Em um evento lendário, lançou as bases de um dos marcos da nova era: o iPod. Mais do que um tocador de músicas portátil, estavam presentes nesse projeto os fundamentos dos negócios baseados em plataforma integrando produto, lojas físicas, ambiente digital e comunidade. A Apple definiu um novo paradigma para os negócios que culminaria na recuperação de sua posição como empresa mais valiosa do planeta anos adiante.

Empresas como Google, Facebook, Amazon são as referências desse novo contexto. São organizações que catalisam os desejos e anseios de um novo consumidor e atuam como plataformas de negócios, consolidando em seus grupos outras organizações e

Empresas como Google, Facebook, Amazon são as referências desse novo contexto. São organizações que catalisam os desejos e anseios de um novo consumidor e atuam como plataformas de negócios, consolidando em seus grupos outras organizações e competências que, apesar de, em um primeiro momento, transmitirem a percepção de serem desconexas têm um eixo comum: a centralidade no consumidor. É a reinvenção do foco.

competências que, apesar de, em um primeiro momento, transmitirem a percepção de serem desconexas têm um eixo comum: a centralidade no consumidor. É a reinvenção do foco.

Como um dos frutos de tal evolução, iniciou-se um movimento de empresas digitais que transforma as relações tradicionais na sociedade por meio da chamada economia do compartilhamento. São organizações, como Uber e Airbnb, que colocam em xeque o pensamento tradicional sobre gestão ao trazer elementos distantes do receituário básico consolidado, até então sagrado.

Klaus Schwab, fundador e chairman do World Economic Forum, um dos espaços mais proeminentes no pensamento acerca dos rumos da humanidade, lançou o livro *A 4ª revolução industrial*, no qual desenvolve a tese de que estamos vivenciando a mais impactante das revoluções.

A visão acerca desse impacto se baseia no fato de essa revolução transformar o modo como indivíduos vivem, trabalham e se relacionam; tudo isso de maneira síncrona e, portanto, inexistente na história da humanidade. A mudança é histórica em termos de tamanho, velocidade e escopo.

A 4ª Revolução Industrial repousa suas bases na era digital e se caracteriza por uma internet muito mais onipresente e móvel, por sensores cada vez menores, mais poderosos e mais acessíveis (movimento proveniente da Lei de Moore) e pela inteligência artificial e máquinas que aprendem (*machine learning*).

É requerida a adoção de uma nova mentalidade para organizações, e seus líderes terão de encontrar formas de operar seus negócios e gerenciar seus talentos.

A combinação dos mundos digital, físico e biológico faz com que as empresas conquistem novos conhecimentos para integrar essas dimensões em seus projetos. As transformações impactam toda a sociedade e desconstroem os clássicos modelos de gestão, os sistemas de produção, consumo, logística e de distribuição.

Em um mesmo momento histórico, há a confluência de movimentos e esferas do conhecimento profundos, como inteligência artificial, robótica, internet das coisas, veículos autodirigidos, impressão em 3D, nanotecnologia, biotecnologia, novas matrizes energéticas, computador quântico, só para nomear algumas dentre tantas outras perspectivas que estão sendo desenvolvidas pelos quatro cantos do mundo.

Em seu livro, Klaus Schwab aponta os três elementos que tornam esse movimento singular:

a) Velocidade

Essa revolução evolui em uma velocidade exponencial em detrimento da linear que caracteriza as anteriores. Resulta de um mundo multifacetado, profundo e interconectado e do fato de as novas tecnologias gerarem tecnologias mais inovadoras e potentes em um ciclo virtuoso.

b) Amplitude e profundidade

Fruto da revolução digital, a atual combina múltiplas tecnologias que estão liderando uma mudança sem precedentes de paradigmas na economia, negócios, sociedade e nos indivíduos. Não é apenas a mudança do "o que" e "como" as coisas são feitas, mas também do "quem" somos.

c) Impacto sistêmico

A atual revolução envolve a transformação de sistemas inteiros, entre (e dentro de) países, organizações, indústrias e sociedades como um todo. Sua abrangência não se limita a determinado espectro de mercado.

Ao iniciar o século XXI, o mundo entrou em uma verdadeira erupção. Organizações tradicionais paralisaram-se mediante o entendimento de que todo o conhecimento estabelecido ao longo de séculos de experiência valia pouco perante uma realidade desconhecida.

A possibilidade do surgimento de novos competidores que dominem novas tecnologias é latente e são muitos os líderes corporativos que aguardam o mal anunciado.

A chamada indústria da gestão não passa incólume a essas mudanças e é alvo do mesmo processo de paralisia: afinal, qual é o conhecimento que vai lidar com esse novo contexto? Os modelos de gestão até então soberanos dão conta das mudanças da modernidade? O conhecimento acadêmico está preparado para lidar com esse novo mundo? E qual é o perfil do novo líder, visto que o ambiente mudou tanto?

Essas são apenas algumas questões que estão tirando o sono dos líderes da nova geração.

É o momento do desenvolvimento de um novo sistema de pensamento para lidar com essa complexidade de forma bem-sucedida. Replicar os modelos já existentes é sentença de morte certa. Da mesma forma que a atual revolução movimenta todos os fundamentos da sociedade, é necessário que o mundo da gestão responda a esse movimento realizando um bom diagnóstico das raízes desse novo ambiente, apontando quais são os modelos de gestão mais afinados com a nova era, os caminhos para a educação corporativa no desenvolvimento das competências necessárias aos colaboradores e o desenvolvimento de um novo perfil de liderança.

Jornada fascinante que começa agora.

Silvio Meira é um dos pensadores brasileiros pioneiros a estudar sobre os impactos da transformação digital e da 4ª Revolução Industrial na sociedade brasileira. É responsável por liderar alguns dos movimentos mais relevantes do ecossistema empreendedor digital no Brasil como o Porto Digital em Recife, hub de inovação pioneiro no país. No *talk show* que você pode assistir aqui http://promo.editoragente.com.br/gestao-do-amanha-disruptar, exploramos a visão dele a respeito de todos esses movimentos e de como eles se configuram na prática dos negócios e da sociedade atual.

A HISTÓRIA DO MANAGEMENT

Da máquina a vapor à 4ª Revolução Industrial: a evolução do mundo da gestão

MOVIMENTO SOCIAL	PERÍODO	REFLEXO NA GESTÃO	REFERÊNCIAS INTELECTUAIS
1ª Revolução Industrial	Início do século XIX	Administração Científica	Frederic Taylor
2ª Revolução Industrial	Início do século XX	Administração Científica	Henry Ford e Henri Fayol
Valorização do indivíduo	Década de 1940	Trabalhador do Conhecimento	Peter Drucker
Pós-Guerra	Década de 1950	Movimento Qualidade Total (TQM)	Peter Drucker, Edward Deming e Joseph Duran
Ascensão do mercado de consumo	Década de 1960	Especialização do Marketing	Theodore Levitt e Philip Kotler
3ª Revolução Industrial	Década de 1960/70	Utilização de computadores nas organizações	
Popularização da gestão	Década de 1980	Explosão dos conteúdos sobre gestão: surgimento da indústria do management	Tom Peters
Ascensão tecnológica	Década de 1980	Adoção da tecnologia nos negócios Reengenharia	Gordon Moore, Regis Mckenna, Michael Hammer e James Champy
Empoderamento do consumidor	Década de 1990	Migração do mercado de massa para o mercado de nicho	Stan Rapp
Aumento da velocidade das mudanças	Década de 1990	Ascensão da inovação	Clayton Christensen
Expansão da internet	Década de 2000	Transformação digital *cloud computing*	Steve Jobs e Bill Gates
4ª Revolução Industrial	Ano 2016	Ruptura total. Adoção de conceitos nos negócios como inteligência artificial, internet das coisas, *big data* dentre outros	Klaus Schwab, Peter Diamandis, Salim Ismail e Joi Ito

Parte 2:
O Mundo da Gestão na 4ª Revolução Industrial

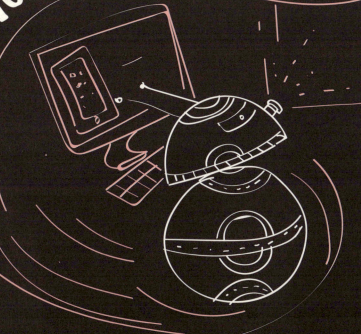

Capítulo 1:
O FUTURO NÃO É MAIS COMO ERA ANTIGAMENTE...

A invenção do cinema representou uma ruptura para a sociedade da época. O único instrumento existente para testemunhar imagens em movimento era uma tecnologia secular: o olhar humano. Não existia referencial que permitisse mimetizar a realidade em movimento e depois reproduzi-la.

Foi no final de 1895 que os irmãos Lumière, depois de terem inventado a fotografia, conseguiram dar forma àquilo que é reconhecido como o precursor do cinema moderno. Para apresentar ao grande público sua nova invenção, promoveram uma sessão especial, em La Ciotat, pequena cidade do sudoeste da França, convidando formadores de opinião e a população em geral.

Influenciados pelo êxito da invenção da fotografia, houve um frenesi em toda a sociedade local e foi grande a concorrência para conseguir um lugar no auditório e testemunhar a apresentação do primeiro filme da história da humanidade. Na realidade, não era bem um filme tal qual conhecemos, e sim uma cena de cerca de sessenta segundos que retratava um momento frugal da rotina daqueles cidadãos.

O vídeo histórico recebeu o título de *Arrivée d'un train en gare à La Ciotat* [Chegada de um trem à estação da Ciotat]. Os inventores escolheram retratar um trem em movimento aproveitando o fato de o meio de transporte ser tão onipresente na realidade de toda a população.

No horário agendado, o salão estava repleto dos principais atores da comunidade local: autoridades, políticos, intelectuais, enfim, toda a população estava reunida para conhecer aquela novidade dos inventores franceses que já eram reconhecidos em todo o mundo.

Muitos, no entanto, não puderam testemunhar aquele momento histórico, que deflagraria a revolução responsável pela formação da sétima arte. Isso aconteceu, pois, impactados pela imagem do trem em movimento, fugiram para o fundo da sala ou dispararam para fora do salão temendo ser atropelados pelo trem retratado em movimento. Outros não hesitaram em acenar para a tela como se estivessem interagindo em tempo real com as pessoas representadas naquela cena.

Por mais folclórica, inusitada e curiosa que seja essa passagem, são perfeitamente compreensíveis os motivos que a impulsionaram: nenhum ser humano havia tido a experiência de vivenciar a reprodução artificial de um mundo em movimento. Não é razoável refletir sobre essa mesma circunstância com o repertório já existente depois de essa tecnologia ter se popularizado e chegado aos lares de todos os habitantes do planeta de forma tão usual quanto a eletricidade.

Apesar desse acontecimento – histórico – datar de mais de cem anos, ele traz um ensinamento poderoso mais presente do que nunca em nossa atualidade: o ser humano é incapaz de perceber, a olho nu, as grandes transformações tecnológicas.

Joi Ito, um dos fundadores do MIT Media Lab, e Jeff Howe utilizam essa passagem histórica no instigante livro *Whiplash: How to survive our faster future* [Whiplash: Como sobreviver ao nosso futuro acelerado] para exemplificar essa perspectiva.

Não importa que esse processo tenha se desenrolado em um momento histórico tão distante. Nosso DNA é o mesmo. O ser humano tende a poupar esforço cognitivo, pois nosso cérebro é um devorador de energia. Portanto, como dinâmica padrão, estamos sempre buscando poupar esforço para conservar potência.

Essa perspectiva traz consigo o reconhecimento da tendência que qualquer indivíduo tem de se ater à realidade já existente, aquela já conhecida, em detrimento do desconhecido. Não é intuitivo o reconhecimento de novos padrões, novos referenciais ou qualquer outro elemento distante do cotidiano.

O resultado desse processo é espelhado na experiência dos irmãos Lumière. O cérebro humano está habituado a processar um mundo mais simples e linear. Quando acontecem movimentos de ruptura, muitos vão reagir da forma que já conhecem e estão acostumados. Isso explica por que tantas pessoas tenham confundido a realidade com sua representação e ignorado o efeito da tecnologia disruptiva.

Talvez essa seja uma das metáforas mais ricas para retratar a sociedade atual. Tal qual o período de consolidação da 1ª e da 2ª Revolução Industrial, quando floresceram inovações que transformaram a sociedade, vivemos em uma era de intensas mutações.

Tal qual o período de consolidação da 1ª e da 2ª Revolução Industrial, quando floresceram inovações que transformaram a sociedade, vivemos em uma era de intensas mutações.

Houve um aumento exponencial na velocidade das mudanças que se iniciaram há décadas, sobretudo com o avanço tecnológico e das comunicações deflagrado pela invenção do microprocessador por Gordon Moore na década de 1970.

Está em curso uma transição violenta do *status quo* de toda a sociedade, causada pela evolução tecnológica que não se reduz ao fato de indivíduos terem acesso a qualquer momento em qualquer local ao conteúdo desejado (utilizando Netflix, por exemplo). Ou à possibilidade de solicitar um motorista por meio de um simples celular em qualquer momento ou local (com aplicativos, como Uber). As transformações são muito mais profundas, impactantes e estruturais do que dita o temerário senso comum.

O ser humano se habituou ao pensamento linear ao longo de séculos e refugiou-se no acolhedor e ilusório espaço da zona de conforto. A tecnologia, por seu turno, ultrapassou de longe a habilidade da sociedade de entendê-la e desvendá-la. Como consequência, há a premente necessidade de acelerar o processo de transformação pessoal e o da sociedade para decodificar esse novo código e buscar referências mais alinhadas à nova realidade.

Se não houver uma maior atenção às transformações, quando elas forem identificadas e percebidas, será tarde demais, e indivíduos e sociedade terão perdido uma oportunidade única de evolução.

O grande responsável pelo processo de transformação é a maneira como a informação trafega na atualidade. Os autores de *Whiplash*, por meio de uma reflexão, traçam um incrível paralelo histórico para representar como a velocidade no compartilhamento de conhecimento transformou o mundo.

Charles Darwin demorou cerca de trinta anos para publicar o estudo intitulado "A origem das espécies" (1859), que foi o deflagrador de todo o arcabouço da teoria da evolução, uma das obras mais seminais da história. É possível refletir sobre os desafios que a época trazia para o desenvolvimento de uma nova tese com o alcance desse projeto. Quanto tempo era necessário para compartilhar um achado proveniente de suas missões nas Américas com sua equipe de apoio localizada na Inglaterra, em Londres, por exemplo?

É plausível supor que a velocidade da informação era equivalente à velocidade da locomoção de um navio, que era a única mídia por qual ela trafegaria, correto? Esse aspecto, aliado à complexidade da nova descoberta, justifica o período de três décadas para a publicação do estudo que abalou as estruturas da sociedade da época.

Trazendo essa reflexão ao presente, temos um contexto de mudanças relevantes que vão gerar impactos estruturais em toda a sociedade nos campos da medicina, ciências sociais e outras esferas, o qual acontece nesse exato momento por meio da reunião de centenas de pensadores localizados em áreas geográficas dispersas que compartilham em tempo real descobertas e achados. Não existem fronteiras nem obstáculos para o compartilhamento do conhecimento.

O Projeto Genoma Humano foi fundado em 1990 e contou com o envolvimento de 5 mil cientistas de 250 laboratórios espalhados por todo o mundo. Seu principal objetivo foi a decodificação do DNA humano. Em abril de 2003, o projeto foi concluído com êxito e, como consequência, foram mapeados mais de 1,8 mil genes de doenças, facilitando o desenvolvimento de novos medicamentos poderosos no tratamento de disfunções genéticas até então incuráveis. Todo esse processo levou menos de treze anos.

Uma reflexão instigante: se houvesse a atual facilidade de compartilhamento de conhecimento por meio do avanço tecnológico, quanto tempo o projeto levaria para ser concluído?

O compartilhamento de informações cresceu exponencialmente e, com ele, o processo de desenvolvimento de inovações.

Uma reflexão instigante: se houvesse a atual facilidade de compartilhamento de conhecimento por meio do avanço tecnológico, quanto tempo o projeto levaria para ser concluído?

Durante centenas de anos, a informação nunca trafegou com mais rapidez do que um cavalo. Com a evolução dos meios de transporte, ela aumentou sua velocidade, equiparando-se a um navio. Com o advento de novas tecnologias de comunicação, como o telégrafo, o telefone e a televisão, a informação foi beneficiada. Atualmente, no entanto, ela se move com a velocidade de uma força cósmica. E isso faz toda a diferença para a sociedade.

Como é possível, em um contexto como o atual, alguém saber, de fato, como será o futuro? A ascensão da incerteza como um dos principais aspectos característicos da contemporaneidade é uma realidade irrefutável.

Existe uma nova perspectiva de mundo. Esse sistema não é uma mera evolução incremental do anterior. Trata-se de uma versão que roda de acordo com uma lógica muito peculiar, distinta das precedentes. Utilizando uma terminologia típica de desenvolvedores de tecnologia, trata-se de um "release". É a versão da 4ª Revolução Industrial.

O problema é que para essa nova versão não existe manual de instruções, visto que seu funcionamento está sendo construído de acordo com o uso. É um sistema aberto que evolui de acordo com as interações com o meio. Buscar operar essa realidade com as regras anteriores equivale à miopia desvendada por Levitt na década de 1960, e o resultado é certo: corpos ficarão pelo caminho.

Em contrapartida, por mais clichê que possa parecer, se em um cenário de incertezas repousam imensos desafios, o fato é que as oportunidades têm a mesma dimensão.

Em geral, o ser humano se preocupa muito mais com o risco de experimentar algo novo do que com o perigo de manter o *status quo* em um ambiente em transformação. Perigo à vista, pois essa dinâmica não está alinhada com a realidade disruptiva dos dias atuais.

Ninguém tem condições de prever o futuro; a incerteza é uma realidade inegociável. O mais curioso e fascinante, no entanto, é que não há problema algum no reconhecimento de tais limitações. Não conseguir realizar previsões está ok. Nessa nova era, a admissão da ignorância oferece vantagem estratégica relevante perante a inútil meta de prever eventos futuros. Uma das chaves do sucesso do novo mundo é aprender a desaprender.

Em termos filosóficos, toda essa construção teórica faz sentido, é bastante racional e excitante. Como, porém, migrar essa realidade para o ambiente corporativo que, desde sua origem, se aprimorou na busca de indicadores que permitissem a maior previsibilidade possível? Uma agenda que sempre se dedicou a racionalizar e controlar todos os processos para que pudesse influenciar o meio e diminuir os riscos de instabilidade?

Gerações e gerações de líderes foram forjadas sob a égide da certeza e da condenação irrestrita de dúvidas e imprevisões. Qual é o modelo de profissional mais adequado a uma realidade que é a antítese de sua formação?

É necessária a refundação do atual pensamento a respeito dos modelos de gestão, bebendo na fonte de tudo o que já foi construído, porém, tendo a liberdade, a abertura e a humildade de enxergar suas limitações e buscar o novo, o inédito, o original.

As evidências demonstram a migração para um novo paradigma baseado em informações, que demandará a reconstrução das empresas, dos modelos de gestão e do perfil de liderança. Como reconstruir esses fundamentos sob os princípios da ignorância do que está por vir é a questão mais relevante a ser refletida a respeito do futuro das organizações.

É justamente no contexto das organizações em que repousam os principais impactos desse movimento que estão abalando os alicerces corporativos.

Mais um tema provocativo e desconfortável... Que bom!

Acesse o link http://promo.editoragente.com.br/gestao-do-amanha-o-futuro e veja um vídeo em que exploramos todo o conhecimento e a experiência de Walter Longo à frente de organizações relevantes no cenário econômico brasileiro aliado à sua visão inovadora como pioneiro em explorar novas tecnologias como podcasts, aplicativos móveis e marketing de conteúdo, dentre tantas inovações, para ter sua visão prática a respeito de nosso ambiente social e empresarial. O objetivo é conhecer sua percepção sobre o processo de transformação, seus impactos na sociedade e nos negócios.

Capítulo 2:

"QUALQUER COMPANHIA DESENHADA PARA TER SUCESSO NO SÉCULO XX ESTÁ DESTINADA A FRACASSAR NO SÉCULO XXI"

David Rose é um dos empreendedores pioneiros do Vale do Silício. Após ser bem-sucedido em projetos pessoais, dedicou-se a explorar as possibilidades de atuação como investidor-anjo, transformando-se em referência no tema. Envolvido nas entranhas do novo mundo digital, cunhou esse pensamento, popularizado no conceito inspirador de organizações exponenciais da turma da Singularity University.

Essa é uma das visões que melhor retrata a realidade corporativa da atualidade. A velocidade exponencial da transformação social atingiu frontalmente os alicerces das organizações, e o resultado é uma ebulição, uma torrente de mudanças que não encontra paralelo na história recente da humanidade.

A consequência dessa nova realidade está evidente, translúcida, porém, como os personagens assustados que não testemunharam o lançamento do cinema dos irmãos Lumière, muitos não conseguem perceber seu impacto e alcance.

Uma evidência concreta inconteste que retrata a revolução é o alto índice de encerramento das empresas na atualidade. Anualmente, a consultoria financeira Standard & Poor's publica a tradicional lista das quinhentas maiores empresas listadas na bolsa de Nova York em valor de ações (a publicação é conhecida popularmente como S&P 500). Segundo estudos, a expectativa média de vida de uma empresa em 1937 era de 75 anos. Hoje, esse mesmo índice é de 15 anos.

Analistas concluem que em 2020 mais de três quartos da S&P 500 serão empresas que ainda não existem ou são obscuras. Há apenas cinco anos, organizações como Uber, Airbnb e Snapchat eram conhecidas tão somente por um núcleo diminuto de pessoas mais ligadas às mudanças tecnológicas, ou por formadores de opinião. O grande público desconhecia essas corporações que juntas têm valor de mercado estimado de cerca de 132 bilhões de dólares (base: 2019), transformaram a dinâmica de seus setores de atuação e são reverenciadas por milhões de clientes em todo o planeta.

Das cinco empresas mais valiosas no mundo, duas (Google e Facebook) têm menos de vinte anos. Todas são de tecnologia.

Seria possível listar outras inúmeras evidências a respeito da transformação e da velocidade das mudanças, porém parece que essas informações não influenciam como deveriam a racionalidade dos líderes corporativos, que continuam na batalha para manutenção do *status quo*. Na obra *Organizações exponenciais*, é apresentado um fato histórico que evidencia os desafios do reconhecimento dos efeitos da transformação por seus líderes.

Em 2007, um importante CEO de uma organização líder mundial declarou, em entrevista ao periódico norte-americano *USA Today*, que "não existia chances de o iPhone ter uma participação de mercado significativa".

Analistas concluem que em 2020 mais de três quartos da S&P 500 serão empresas que ainda não existem ou são obscuras. Há apenas cinco anos, organizações como Uber, Airbnb e Snapshat eram conhecidas tão somente por um núcleo diminuto de pessoas mais ligadas às mudanças tecnológicas, ou por formadores de opinião.

Naquela época, as cinco maiores fabricantes de telefones celulares – Nokia, Samsung, Motorola, Sony Ericsson e LG – ostentavam a confortável situação de líderes. Juntas, controlavam 90% dos lucros do setor em todo o mundo.

Por volta de 2015, apenas o iPhone foi responsável por 92% dos lucros globais do setor. Somente uma empresa dentre as antigas líderes do segmento apresentou algum lucro. Todas as outras não obtiveram rendimento algum.

Uma questão instigante nessa história: quem é o líder cuja sentença, ao longo de poucos anos, mostrou-se absolutamente imprecisa? Talvez um empresário do setor de telecomunicações menosprezando o potencial de um novo concorrente. Ou quem sabe um executivo de uma empresa tradicional, que não atuava no setor de tecnologia e, portanto, não tinha conhecimento técnico ou perspectiva mais clara de sua evolução.

Ledo engano. O autor dessa visão foi Steve Ballmer, presidente da maior empresa global da época: a Microsoft.

Não é plausível supor que o reconhecido líder corporativo mundial não tivesse acesso a informações privilegiadas acerca da evolução tecnológica. Tampouco que ele não fosse um executivo capacitado. Pelo contrário, Ballmer sempre foi reconhecido como um dos principais líderes globais do mundo dos negócios e um dos responsáveis pela meteórica evolução da Microsoft.

Então, qual o motivo para que o líder e a mais valiosa corporação da época não percebessem o início do movimento que transformou os alicerces de um setor inteiro de negócios e que, paradoxalmente, levou a Apple a ocupar o lugar da Microsoft como a empresa de maior valor de mercado em todo o planeta?

Mais uma vez, evidencia-se a dificuldade que todo ser humano tem de perceber o ritmo das mudanças tecnológicas. A mesma dinâmica presente ao longo da história da humanidade estende seus tentáculos ao mundo corporativo, porém com um elemento adicional: ao crescerem e dominarem seus segmentos, as organizações tendem a adotar estratégias mais defensivas de manutenção de seu posicionamento e se fecham a transformações mais radicais.

A união do comportamento nativo do ser humano com a prática organizacional conservadora gera uma dinâmica perversa em um ambiente cuja velocidade da transformação é um dos elementos mais marcantes.

A história corporativa está repleta de casos emblemáticos, como o da Kodak, que desenvolveu o primeiro projeto de câmera digital em 1975. Entretanto, embevecida pelos louros de sua dominação de mercado, desacreditou do potencial da invenção e, em 2012, pediu falência naquele que foi um dos maiores movimentos de decadência corporativa de que se tem notícia.

Ou da disrupção que aconteceu no mercado fonográfico com o advento do iPod e a decadência da Sony. A empresa, que revolucionou o mercado na década de 1980 com a invenção do Walkman®, simplesmente não enxergou o potencial da música portátil digital.

Tais acontecimentos são apenas artefatos de um processo de transformação que tende a se acentuar. São episódios curiosos, instigantes, que, no entanto, apresentam lições profundas que devem ser alvo de intensa reflexão: como o ser humano é muito suscetível a erros de interpretação para reconhecer rupturas tecnológicas, é necessária uma mudança no sistema de pensamento existente. Sempre existirá a tendência pelo modelo atual em detrimento do novo. A manutenção dessa dinâmica em um ambiente em transformação resultará em mais eventos catastróficos como os citados.

Peter Diamandis, um dos fundadores da Singularity University, e Steven Kotler apresentam na obra *Oportunidades Exponenciais* o conceito de decepção como uma das fases da cadeia de acontecimentos de qualquer progresso tecnológico. Nessa etapa, as mudanças são lentas, quase imperceptíveis a olho nu. É justamente o momento de transição em que o crescimento exponencial passa de perceptível a disruptivo e atinge patamares fora do padrão.

No final da década de 1980, surgiu no Texas uma empresa que iria revolucionar o até então incipiente mercado de locação de filmes em VHS: a Blockbuster. Seu fundador enxergou o potencial de mercado de um movimento que só estava começando e tinha como grande mobilizador o desejo dos cidadãos em consumir em seus lares conteúdos que só eram acessíveis nas telas do cinema.

Por meio de sua inovadora visão, David Cook percebeu que o modelo das videolocadoras da época tinha a possibilidade de ser reinventado e desenvolveu o conceito de *big stores* no setor com a criação de megalojas como espaços de experimentação.

O sucesso foi imediato e acelerado. Menos de dez anos após sua fundação, a empresa foi vendida para um dos maiores grupos de entretenimento do mundo por 8,4 bilhões de dólares, valor extraordinário para aquela realidade. Nesse momento, a rede já contava com mais de 4.500 lojas espalhadas por todo o mundo e dominava amplamente o setor.

Em 2000, uma nova empresa, que inaugurou com muito sucesso um canal de vendas por meio da entrega dos vídeos via postal, foi oferecida aos líderes do negócio por 50 milhões de dólares. O CEO da época recusou a transação alegando que se tratava de "um negócio de nicho".

Foi assim que a Blockbuster deixou de comprar a Netflix. Encurtando uma história longa, em 2010, a gigante pediu concordata e, em 2013, fechou suas últimas lojas.

Em contrapartida, atualmente, o valor de mercado da Netflix é de cerca de 136 bilhões de dólares (base: 2019), e Reed Hastings, seu fundador e um empreendedor serial, tornou-se uma das personalidades mais cultuadas da nova geração de empreendedores de alto impacto.

É muito cômodo olhar para trás e julgar os motivos que levaram os líderes da Blockbuster a não adquirir a Netflix quando tiveram oportunidade de fazê-lo. É necessário, todavia, entender a dinâmica que fez com que os movimentos de evolução da organização, que se transformou em um dos ícones do novo ambiente empresarial, não fossem percebidos.

A Netflix estava no momento de transição de um modelo inovador que iria lhe catapultar a outro nível. Sua grande fortaleza era seu canal de distribuição a domicílio que se consolidava de forma acelerada. Em 2007, a organização entregou seu bilionésimo DVD no mercado norte-americano.

O mais relevante que não foi percebido, no entanto, é que a orientação do negócio postal seria a base para a verdadeira transformação que aconteceu em 2011, quando a empresa começou a distribuir seus conteúdos via *streaming* aproveitando a evolução da infraestrutura tecnológica de banda de internet. As primeiras incursões da Netflix nessa frente não obtiveram êxito em decorrência das limitações estruturais, porém seus líderes foram capazes de enxergar a real dimensão da oportunidade que a tecnologia traria ao negócio.

Tendo como foco uma operação bilionária bem-sucedida, os líderes da Blockbuster não vislumbraram a ameaça de um novo competidor, visto que não perceberam o movimento de mudanças que já se prenunciava de forma clara. Se a transformação não é percebida em seu início, quando está disseminada já é tarde demais. Esse foi o caso.

Existe um comportamento recorrente entre as empresas tradicionais que explica os motivos dessa miopia: a tendência pelo foco na geração de resultados em curto prazo. O mais surpreendente é que esse movimento tem se acentuado nos últimos anos.

A consultoria Bain & Company divulgou uma pesquisa realizada pela agência britânica Reuters com 1.900 organizações globais tradicionais que aponta uma realidade aparentemente paradoxal, considerando-se a dinâmica do atual ambiente empresarial: os gastos com pesquisa e desenvolvimento diminuíram, em termos relativos, nos últimos anos, enquanto a distribuição de dividendos aumentou.

O estudo esboça que, nas empresas pesquisadas, as recompras de ações e a distribuição de dividendos representaram 113% das despesas de capital, contra 60% em 2000 e 38% em 1990. No mesmo período, os gastos com pesquisa e desenvolvimento foram, em média, menores que 50% do lucro líquido, em comparação com mais de 60% na década de 1990.

Em português claro: a maioria das organizações opta por remunerar seus acionistas no curto prazo em vez de investir na longevidade da companhia por meio da inovação.

O horizonte dos líderes empresariais está centrado no imediatismo. Eles menosprezam a inovação ao reduzir os investimentos em pesquisa e desenvolvimento e tomam uma decisão que irá custar caro ao futuro da empresa: alocam o excedente de capital gerado pela empresa para entregar aos acionistas em detrimento de investimentos em novas perspectivas de negócios.

Aqui no Brasil não é diferente. No estudo "Agenda 2019", a consultoria Deloitte entrevistou executivos que representam 826 empresas nacionais e identificou que o investimento médio em tecnologia é de 3% do faturamento anual. Muito pouco se considerarmos que, de acordo com a mesma pesquisa, um dos maiores desafios das organizações é o restrito conhecimento das novas tecnologias disruptivas.

É direito de qualquer organização privada desenvolver a estrutura de capital e a distribuição de dividendos da forma que desejar. No entanto, é imperativa a reflexão acerca dos efeitos da decisão para a longevidade da corporação. Não deixa de ser paradoxal que, em um momento que se aborda tanto a temática da ruptura e dos novos modelos organizacionais, se evidencie uma curva de investimentos que privilegie o curto prazo.

Esse comportamento gera uma clara assimetria que irá potencializar os riscos de depreciação das organizações tradicionais no longo prazo: como inovar, tomar riscos visando a geração de resultados no futuro, se a companhia e seus acionistas estão mirando o curto prazo?

Essa dinâmica vem de longa data. A história recente do capitalismo testemunhou uma explosão da abertura de capital de organizações em todo o mundo que, em busca de recursos financeiros mais acessíveis, recorrem cada vez mais a essa fonte de investimentos.

O quadrimestre, ou *quarter*, em inglês, é o período clássico de levantamento de resultados que gera análises acerca da valorização ou não das ações das empresas. Pressionados pela necessidade de geração de resultados para os acionistas e o mercado acionário, executivos começaram a direcionar força e energia para iniciativas orientadas a essa perspectiva temporal. O perfil de atuação popularizou-se de forma tão evidente que foi responsável pelo surgimento de um termo que o caracteriza: "a ditadura do *quarter*".

Não deixa de ser surpreendente que, mais uma vez, a ditadura do *quarter* volta a mostrar suas garras. Agora, no entanto, em um ambiente muito mais desafiante pelo fato de apresentar uma dinâmica de mudanças mais acelerada do que no passado com riscos exponenciais cada vez mais evidentes.

É impossível não vir à tona as diferenças entre o direcionamento estratégico clássico e a decisão de Jeff Bezos acerca da estrutura de investimentos da Amazon. Desde sua fundação, em 1994, o empreendedor tomou a decisão de investir todo o lucro no negócio, decisão que lhe custou críticas severas dos analistas e até mesmo fortes questionamentos quanto ao futuro e, sobretudo, quanto à sua sustentabilidade.

É recorrente a história de uma teleconferência com investidores, que aconteceu um dia após a empresa apresentar um lucro inesperado, na qual Bezos abre o evento pedindo desculpas à audiência, surpresa, e conclui: "Isso nunca vai acontecer novamente. É inaceitável". Verdadeiro ou não, esse acontecimento mostra, de forma explícita, a mentalidade do empreendedor.

Três anos após a fundação da empresa, Bezos publica memoráveis cartas aos acionistas (a original é surpreendente). Essas peças explicitam todo o direcionamento estratégico da companhia, evidenciando e justificando suas escolhas. Desde a primeira carta, a visão do reinvestimento do lucro em prol do crescimento da empresa está presente como um mantra.

A despeito de todas as críticas e visões contrárias, a Amazon transformou-se em um dos maiores fenômenos corporativos da história recente dos negócios, dominando mundialmente o varejo on-line e tornando-se gigante com números superlativos, como seu valor de mercado que supera os 870 bilhões de dólares (base: 2019), 2,7 vezes o valor da Walmart e maior que a soma do valor reunido das dez maiores empresas do varejo norte-americano.

A orientação estratégica de investimento no longo prazo em detrimento da distribuição de dividendos aos acionistas em nada se assemelha ao padrão constatado nas empresas tradicionais.

Não é de se estranhar que o caso de uma pequena empresa entrante amealhar todo o mercado de organizações tradicionais consolidadas, como no caso da Amazon ou da Netflix *versus* Blockbuster, é cada vez mais comum nos dias atuais.

Empresas legendárias sucumbem porque não compreendem a velocidade das transformações. Novas organizações têm catalisado cada vez mais os ares da mudança e assumem o papel de revolucionárias.

As do século XXI são empresas mais ágeis e flexíveis. Aprendem a ter uma gestão baseada em dados utilizando a tecnologia da informação como principal plataforma. Adotam um novo padrão de conhecimento, desintegram cadeias de valor tradicionais e constroem modelos mais enxutos estabelecendo paradigmas de mercado.

Elon Musk, um dos empreendedores mais emblemáticos da nova geração, em uma de suas startups mais fascinantes, a SpaceX, empresa de transporte espacial, conseguiu diminuir o ciclo de produção e os custos de lançamento de um satélite ao espaço ao mesclar em sua equipe especialistas técnicos com colaboradores que não tinham experiência no setor aeroespacial. É o bônus da ignorância.

Testemunhamos a onipresença do darwinismo no ambiente empresarial: não é o maior, o mais tradicional que prospera, e sim aquele que se adapta melhor ao ambiente. Não se trata de uma mudança para o futuro. Quem insiste nessa convicção está praticando o velho e bom escapismo, refugiando-se no amanhã e fugindo de uma realidade mais presente e evidente do que nunca. As referências saltam aos olhos. Só não vê quem não quer.

Líderes tradicionais assistem atônitos a essa realidade e não conseguem fazer a transição para a nova abordagem. Isso explica a precária situação em que se encontram negócios clássicos que foram transformados por novas empresas que adotam um sistema de pensamento distinto do convencional. Setores inteiros – turismo, transporte, mídia, entre tantos outros – estão sendo reinventados.

Faz parte desse contexto a transformação do mercado de transportes protagonizada pelo Uber. Fundada em 2009, a empresa é a maior startup da história da humanidade, atingindo, em 2019, um valor de mercado estimado de 82 bilhões de dólares (base: 2019).

O Uber é o caso de crescimento mais rápido de startup no Vale do Silício, que ultrapassa empresas míticas, como Google e Facebook.

Esse progresso é o resultado de como a organização tornou-se onipresente na sociedade de forma muito acelerada.

A empresa opera em mais de 700 cidades de 63 países. Por mês, em média, 93 milhões de pessoas utilizam seus serviços. Os motoristas que atuam com Uber já percorreram 26 bilhões de milhas ou algo como 767 vezes a distância entre Terra e Marte (base 2019). Mais pessoas gastam algum dinheiro no Uber do que em qualquer empresa privada no mundo, com exceção de Walmart e McDonald's.

A importância da startup na nova economia é tanta que a empresa se tornou sinônimo de uma série de outras que são lançadas no mercado com modelos de negócios similares. É usual utilizar a terminologia "o Uber de tal setor" para especificar uma organização que adota esse modelo em seu negócio específico. A companhia está entrando para o raro espaço reservado a negócios que se transformam em sinônimo de categoria.

É fascinante como uma startup conseguiu influenciar a concepção de como é pensado o trânsito nas cidades, o fluxo de carros, os congestionamentos e tudo o que concerne à matriz de mobilidade urbana. Mais impressionante, no entanto, é sua influência no comportamento da nova geração.

Sempre esteve presente no ideário dos jovens do mundo todo, em especial nos países capitalistas, o desejo, quase mítico, de ter um automóvel. Essa obsessão é evidenciada aos quatro ventos em diversas situações, como em obras clássicas do cinema mundial, e remonta a mais de um século com a popularização global dos automóveis.

Em menos de dez anos, o Uber tornou esse desejo menos relevante, e um contingente cada vez maior de jovens opta por abrir mão de seu carro novo pela oportunidade de se locomover com os motoristas da rede da startup.

O automóvel não é mais unanimidade como objeto de desejo número um dos jovens. O carro não é mais visto como o principal símbolo de status em muitos segmentos da sociedade, e locomover-se de Uber, em muitas comunidades, é mais valorizado do que ser proprietário de um veículo.

Isso não é pouca coisa. Trata-se de uma mudança comportamental que gera impactos em toda cadeia de valor automobilística. Mais do que isso: gera uma transformação inédita em toda matriz de mobilidade mundial consolidada em mais de um século de desenvolvimento. Um movimento como esse gera ameaças e oportunidades até então não mapeadas para todos os protagonistas do segmento.

Essa não é uma realidade que irá se consolidar daqui a décadas. Trata-se da realidade do presente. Faz parte do cotidiano de qualquer cidadão em qualquer local do planeta. Seguramente, não é um exercício de futurologia ou uma perspectiva para um futuro distante.

Os indivíduos e as organizações que não estiverem atentos a esse processo de transformação não conseguirão ser protagonistas e serão, impiedosamente, alijados do mercado.

Os mais céticos questionam se o processo de ruptura é sustentável ou se trata de mais um artifício utilizado por *pseudoexperts* em gestão para vender mais livros e palestras. A crítica a todo e qualquer conceito ou estrutura de conhecimento é indispensável, pois torna mandatório um aprofundamento na análise dos fundamentos da tese em questão.

Um estudo pormenorizado dos alicerces do atual processo de transformação, no entanto, justifica a tese de sua sustentabilidade. Não se trata de um movimento que surgiu de forma efêmera. Ele foi se desenrolando ao longo dos anos e, como demonstrado na primeira parte desta obra, teve sua origem no início da década de 1970 com a invenção do microprocessador por Gordon Moore, um dos fundadores da Intel, e os efeitos da chamada Lei de Moore.

É memorável como uma tese desenvolvida há cerca de cinquenta anos em um ambiente tecnológico em ebulição mostrou-se assertiva, e, de fato, a velocidade de processamento de dados e informações cresceu exponencialmente e dobrou seu potencial a cada dezoito meses.

A Lei de Moore é um dos alicerces da transformação em curso. Uma das consequências do aumento da capacidade de processamento dos sistemas digitais foi a diminuição dos custos de acesso. Essa simbiose fez com que dois vetores explosivos se encontrassem: a rara compatibilidade de maior performance com menor preço.

Não se trata de uma tese teórica. O fenômeno é comprovado na evolução de um equipamento onipresente em nosso cotidiano: o telefone celular ou, mais especificamente, o smartphone. Em menos de dez anos de sua invenção, esse produto democratizou-se de forma generalizada em nossa sociedade como consequência da diminuição do preço dos aparelhos e do crescimento de sua performance de forma exponencial.

Esse movimento permitiu o surgimento de milhares de organizações e startups que desenvolveram soluções que utilizam o dispositivo para oferecer ao consumidor opções, que vão de alternativas de restaurantes, consumo de conteúdo a gestão financeira, dentre inúmeras aplicações possíveis. O efeito do incremento de desempenho com diminuição do preço de acesso causou um efeito sistêmico em toda rede de influência do produto e da sociedade. É a Lei de Moore na veia.

Com o avanço tecnológico, tudo o que é digital cresce de forma muito mais acelerada e barata do que nos negócios tradicionais. A tecnologia não é o único alicerce da transformação. Existe outra arena que se desenvolveu de forma extraordinária nos últimos anos: a revolução da comunicação ou, de modo mais específico, a revolução causada pela internet.

Com o advento e a evolução da web, houve uma desintermediação total e irrestrita da comunicação entre os indivíduos de toda a sociedade. Desde a invenção da imprensa e o surgimento dos veículos de mídia, sempre existiu um agente responsável por levar as informações à audiência.

Da mesma forma, a amplitude da comunicação sempre esteve limitada ao alcance dos meios disponíveis e sua cobertura. Como na referência citada acerca dos desafios de Darwin ao desenvolver a teoria da evolução das espécies, a velocidade do compartilhamento de qualquer informação era limitada e dispendiosa. Um veículo de comunicação para cobrir algum acontecimento em outro país, por exemplo, necessitava de uma sucursal com profissionais locais e canais complexos para transmitir as notícias ao seu local de origem.

Semelhante desafio atingia as organizações. Os custos de relacionamento e transações para mercados distantes eram altos, e a complexidade de atuação, desencorajadora.

A internet alterou de maneira drástica tal dinâmica, tornando acessíveis indivíduos e mercados. Atualmente, empresas e pessoas se relacionam independentemente de onde estejam com um custo de acesso muito baixo. A consolidação desse fenômeno teve um impacto fundamental no processo de globalização e alterou significativamente o balanço de forças do ambiente empresarial.

Quando a comunicação (internet) encontra-se com a tecnologia (Lei de Moore), os efeitos são devastadores visto que alcance e impacto atuam em simbiose. Essa combinação fascinante é potencializada com o avanço da computação em nuvem que colabora para a diminuição dos investimentos em estrutura tecnológica, até então uma das principais barreiras para companhias com menos aporte de capital. A possibilidade de realizar grandes transformações digitais torna-se acessível a milhões de empreendedores em todo o planeta.

As referências a respeito do impacto desse explosivo encontro são incontáveis e estão presentes em toda a sociedade. Atingiu, por exemplo, o epicentro de um dos setores mais tradicionais e conservadores da economia mundial: o mercado financeiro.

O mercado financeiro, por seu conservadorismo, mudou muito pouco em sua essência desde o surgimento do primeiro banco moderno que aconteceu por volta de 1400, ou seja, há mais de seis séculos. Uma evidência desse tradicionalismo é que apenas no início da década de 1980 uma instituição financeira aderiu à tecnologia em seu negócio (Banco da Escócia, que começou a oferecer serviços eletrônicos em 1983).

Os fundamentos do grande crash do mercado financeiro em 1929 se repetiram na crise de 2008, e os líderes do mercado sempre demonstraram relutância em mudar padrões a despeito de reveses históricos e riscos sistêmicos. Mas esse comportamento está mudando drasticamente, e o responsável por essa transformação não é o questionamento quanto ao padrão de funcionamento dos mercados, e sim o efeito impactante da tecnologia e da comunicação juntas.

As chamadas fintechs, startups de tecnologia financeira, têm tirado o sono dos líderes do setor, ao estabelecerem novos padrões de comportamento para indivíduos e empresas, alterando a natureza de um relacionamento sedimentado por séculos.

Quem poderia imaginar que uma empresa com apenas três anos, sem nenhum reconhecimento de marca ou histórico, incomodaria os pesos-pesados do mercado de cartões de crédito que monopolizam há décadas no Brasil?

Pois foi o que aconteceu no país com o Nubank, startup nacional que oferece cartões de crédito sem anuidade ou taxas, cujo relacionamento com seus clientes acontece, quase exclusivamente, por meio de um aplicativo para smartphones (olha ele aí outra vez).

Quando comemorou três anos do lançamento de seu primeiro produto, em 2017, a empresa já contabilizava mais de 5 milhões de solicitações de cartões. Desse total, apenas 1 milhão pode ser absorvido pela empresa como clientes com o restante dos pedidos aguardando em uma inimaginável fila de espera aguardando a aprovação de sua avaliação de crédito.

Só em Junho de 2019, quando a empresa atingiu a marca de 10 milhões de clientes que essa lista de espera é zerada.

David Vélez, fundador da startup, reitera aos quatro cantos a visão de que o Nubank é uma empresa de tecnologia que presta serviços financeiros. A emissão de cartões de crédito foi só o início do desenvolvimento de diversos produtos financeiros como a NuConta, serviço de conta corrente disponibilizada em junho de 2018 que em agosto de 2019 já contava com mais de 7 milhões de clientes ativos.

Depois de receber investimento dos principais fundos de Venture Capital do mundo, em 2019, a empesa anuncia um valor de mercado estimado em mais de US$ 10 bilhões o que lhe confere o posto de Banco Digital mais valorizado do planeta.

Talvez um dado essencial para o entendimento dessa dinâmica tenha passado despercebido: tudo isso aconteceu em apenas dois anos desde a fundação do negócio. É simplesmente inimaginável esse percurso há décadas, quando seria necessária uma estrutura de capital e de operações dispendiosa para superar as imensas barreiras de entradas construídas pelos musculosos barões do setor.

As startups com alto potencial de crescimento não existiam no século XX, e as empresas tradicionais eram protegidas dos intrusos meramente pelo tamanho.

O avanço de negócios como o Nubank só é possível graças ao alto potencial de processamento de informações a baixo custo que permite a análise automatizada de crédito de uma larga base de clientes, na casa dos milhões de pessoas, e também a possibilidade de atingir um mercado amplo com a web por meio de comunicação dirigida e do relacionamento via aplicativo. Dessa forma, os cerca de 10 milhões de clientes da organização se relacionam com ela sem nunca terem tido um contato pessoal com qualquer indivíduo do negócio. Tudo é resolvido por meio de um (aparentemente) despretensioso celular.

Os fundadores do conservador mercado financeiro devem estar se revirando em suas tumbas.

A primeira reação das empresas tradicionais foi a esperada: negação total. Em um primeiro momento, seus líderes ignoraram os possíveis efeitos do movimento e se prenderam a suas ultrapassadas convicções para negar e subestimar o que já se prenunciava como uma ruptura com o modelo convencional.

A busca pela manutenção do *status quo*, no entanto, não foi o suficiente para rejeitar as evidências que começaram a surgir. Como consequência dessa (tardia) constatação, os gigantes despertaram, e iniciou-se uma revolução nada silenciosa em curso no setor.

Em 2017, o maior banco privado brasileiro, o Itaú, adquiriu 49,9% de participação na corretora independente XP por cerca de 6 bilhões de reais, o que levou o valor de mercado da companhia fundada em 2001 a 12 bilhões de reais. O sucesso da XP esteve sempre lastreado pelo discurso da desintermediação bancária, o que só foi possível graças ao uso intensivo da tecnologia da informação. A empresa revolucionou o mercado ao desburocratizar os principais processos no relacionamento com o cliente, utilizando a informática para eliminar a necessidade da troca infindável de documentos físicos e da presença física nas agências bancárias.

E o maior banco do Brasil adquiriu uma empresa que cresceu vorazmente na última década, tendo como principal argumento a desbancarização.

O Bradesco, segundo maior banco privado do país, no ano de 2017, anunciou a criação do Next, um banco 100% digital cuja orientação é gerar um novo padrão de relacionamento com seus clientes, tendo como principal pilar a adoção tecnológica.

Assim, os dois maiores bancos privados do Brasil iniciam um movimento que pode resultar na canibalização de seu negócio tradicional, visto que não serão mais necessárias milhares de agências físicas espalhadas pelo país.

São movimentos relevantes, expressivos, dos líderes do setor que evidenciam o reconhecimento por um novo momento de mercado. Seguramente, trata-se de um caminho válido e recomendável.

É imperativo, no entanto, contextualizar a reação das tradicionais e gigantes companhias do segmento em relação ao avassalador surgimento de fintechs. Estima-se que no Brasil existiam em 2019 mais de 450 empresas atuando no ramo com soluções disruptivas, que possuem como razão de sua existência um só foco: romper os padrões do mercado ou, sendo mais claro, destronar os atuais detentores do poder.

A principal ameaça ao monopólio dos gigantes não vem mais de novas companhias tradicionais do segmento ou dos movimentos estruturais de capitais que acontecem em todo o mundo. A ameaça vem das startups, dezenas de fintechs que surgem diariamente em todo o planeta, que, aproveitando o casamento da Lei de Moore com a internet, destruíram todas as barreiras de entrada.

A queda do muro de Berlim é uma boa metáfora para representar essa nova realidade: tal qual o emblemático e revolucionário movimento social que alterou radicalmente a dinâmica do mundo, não existem obstáculos regulatórios ou estruturais que segurem a onda de transformação.

Recorrendo a uma perspectiva elaborada pelos já citados líderes da Singularity University, vivemos em uma era de crescimento exponencial em contraponto à linearidade característica da sociedade e do mercado corporativo. Essa nova realidade gera uma ruptura inédita na história do mundo dos negócios com impacto determinante nas organizações e seus líderes.

Para qualquer negócio estabelecido, não importa se uma empresa recente ou tradicional, é requerido o desenvolvimento de uma nova mentalidade para gestão de seus negócios. Essa mentalidade apresenta duas opções bem claras para o futuro das organizações: autodestruir-se ou ser destruído por alguém.

Se não bastasse ter de lidar com um batalhão de novos concorrentes que surgem a cada dia, as empresas e seus líderes têm de lidar com esse novo contexto. É inegável que as coisas estão mais complexas do que nunca.

A transformação desencadeada pela união de duas revoluções – uma na tecnologia com a Lei de Moore e outra na comunicação com a internet – gera uma força explosiva. É como um Big Bang corporativo que criará uma nova dinâmica no mercado.

Essa dinâmica não é a melhoria incremental da anterior. É uma ruptura no modelo dominante que gera outro padrão de pensamento e ação. A explosão da revolução em curso mudou a natureza dos negócios jogando as forças do centro – representadas pelas companhias tradicionais, governos, marcos regulatórios – para as bordas onde se unem a novas organizações, startups, novos modelos de gestão etc. As coisas se embolaram definitivamente.

A despeito de todos os riscos gerados por esse movimento, o mundo novo é admirável visto que traz consigo possibilidades até então inexistentes, perspectivas não mapeadas e uma forma de fazer negócios mais democráticos, abrangentes e transparentes.

A construção de um novo modelo de gestão está em curso. Uma nova mentalidade emergirá dessa realidade com fundamentos mais alinhados com a dinâmica atual e, portanto, mais sólidos que os atuais.

Retornando à provocação de David Rose que abriu este capítulo: se as companhias desenhadas para terem sucesso no século XX estão fadadas ao fracasso, qual deve ser a arquitetura da companhia bem-sucedida do século XXI?

No link http://promo.editoragente.com.br/gestao-do-amanha-destinada-a-fracassar você poderá ver um vídeo em que aproveitamos os estudos pioneiros da Martha Gabriel na transformação digital e seu impacto no marketing e na sociedade em geral para explorar sua visão sobre como as empresas têm reagido a essas mudanças e quais são os caminhos mais promissores para uma inserção adequada a esse novo contexto.

QUESTÕES ESSENCIAIS PARA

1. Como você tem acompanhado a evolução do seu negócio e do seu setor? Você acompanha as movimentações que tem acontecido em todo o mundo em seu contexto?

2. Você adota algum modelo de reuniões ou encontros em sua organização para estudar as movimentações de seu mercado? Quais mecanismos você poderia viabilizar visando manter toda a equipe alinhada e preparada para as transformações do mercado?

3. Reflita sobre os efeitos da tecnologia e comunicação em seu negócio nos últimos anos. Faça um exercício sobre as tendências futuras de evolução de seu projeto de acordo com as possibilidades geradas pela união desses dois fenômenos.

4. Quais são as startups que estão oferecendo soluções inovadoras ao seu mercado no Brasil e no mundo? Analise as características desses negócios, pontos fortes e fracos e os possíveis efeitos desses projetos para seu negócio.

5. Reflita profundamente sobre quais mudanças podem causar uma ruptura importante em seu negócio. Neste exercício, não restrinja o alcance das possibilidades às atuais limitações do ambiente. Procure abstrair o pensamento o máximo possível, considerando hipóteses e possibilidades que ainda não foram mapeadas por ninguém.

SUA REFLEXÃO ESTRATÉGICA

6. Quais foram as empresas que tinham uma posição favorável em seu setor e que se tornaram irrelevantes? Faça um exercício para levantar as principais hipóteses que levaram essas organizações a sucumbir.

7. Reflita sobre quais são as similaridades dessas organizações que fracassaram com seu atual modelo de negócios.

8. Quais são os obstáculos de seu atual modelo de negócios que impedem a adoção de um pensamento exponencial orientado ao crescimento em larga escala de seu projeto? Reflita sobre as travas e obstáculos que impedem a execução de uma estratégia de alto impacto.

9. Qual seu investimento em inovação e em iniciativas com o foco em resultados de longo prazo para seu negócio? Qual verba sua organização destina para essas atividades?

10. Em que medida os modelos de remuneração adotados pela sua organização estimulam as iniciativas orientadas a longo prazo?

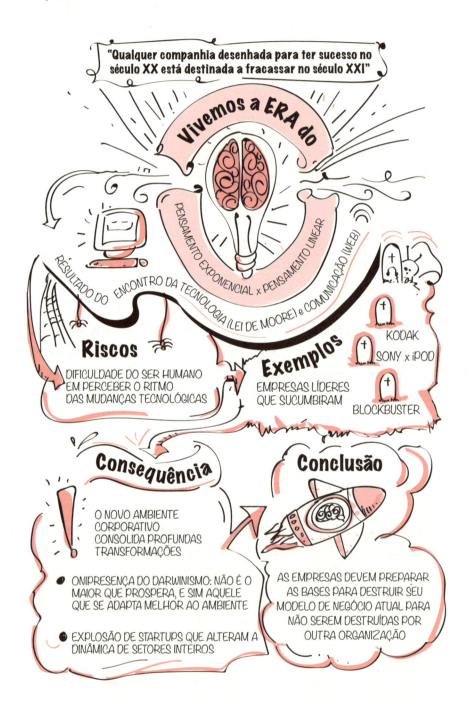

Capítulo 3:
OS MODELOS DE GESTÃO NA 4ª REVOLUÇÃO INDUSTRIAL

Titanic foi um dos filmes mais celebrados e premiados do cinema moderno. Um dos naufrágios mais populares da história da humanidade transformou-se em um blockbuster nas mãos de James Cameron, na versão estrelada por Leonardo DiCaprio. No filme que mistura ficção com passagens verídicas, a colisão com um iceberg aconteceu durante uma luxuosa festa na embarcação.

Uma das cenas mais emblemáticas do longa-metragem mostra os passageiros em desespero buscando alternativas para se salvarem, enquanto os músicos da orquestra do navio continuam, calmamente, desempenhando seu ofício e, mesmo com a água inundando o convés, a música não para.

Ao substituir a figura dos músicos por executivos e o naufrágio do Titanic pelas transformações pelas quais passa a sociedade, toma forma uma das mais ricas metáforas para simbolizar os desafios que o mundo corporativo tem pela frente: a água está inundando o convés, porém muitos líderes continuam "tocando a mesma música", como se nada estivesse acontecendo. O resultado já está mapeado e previsto: naufrágio na certa.

Além dos mecanismos naturais presentes em qualquer ser humano – tema já abordado nos capítulos anteriores –, esse comportamento é justificável pelas repentinas transformações. Peter Drucker cunhou uma frase que se tornou muito popular no mundo executivo, em que afirmava que "a cultura devora a estratégia todos os dias no café da manhã das organizações".

Pedindo licença ao pensamento do maior pensador do mundo da gestão moderna, é possível alterar o termo "cultura" por "rotina" para ilustrar bastante bem a ameaça que ronda as corporações na atualidade, que são pressionadas para centrar esforços e investimentos em iniciativas orientadas ao imediatismo, colocando em risco suas ações voltadas à sustentabilidade de seu negócio no longo prazo.

Envoltos nos desafios diários de seus negócios, líderes e executivos acabam rifando o pensamento estratégico em detrimento da execução orientada ao curto prazo. Com isso, fenômenos como o atual têm pouco tempo para serem mapeados e não são alvos de reflexão mais profunda.

A Academia, por sua vez, berço do desenvolvimento das principais teses e conceitos para lidar com as transformações da sociedade que impactam as organizações e seus líderes, não tem conseguido catalisar os efeitos de toda essa mudança e não tem sido capaz de gerar conteúdos que alcancem e influenciem os mercados e seus agentes de forma ampla e pulverizada.

Mais uma vez, é necessário recorrer à tese da vantagem de aproveitar o benefício da ignorância, tão peculiar em um ambiente que se caracteriza pela incerteza, para questionar conceitos consagrados em busca do novo. É o bônus da ignorância. É dessa reflexão que emergirão modelos mais alinhados com a realidade atual.

O novo paradigma nos negócios

Tradicionalmente, as organizações evoluíram por meio do paradigma do alto crescimento com baixos custos de operação em uma estratégia que tem como principal orientação o ganho de escala.

Custos menores aliados a volumes de vendas maiores fazem com que as detentoras dessa dinâmica tenham um custo médio do negócio mais baixo que seus concorrentes. Com isso, gera-se um ciclo virtuoso: com um preço menor, as vendas aumentam; conforme as vendas aumentam, é possível baixar mais ainda os preços.

Essa dinâmica impulsiona a empresa ao crescimento visto que busca sempre estratégias para diminuição de seus custos gerais e tende a criar monopólios formados por empresas que detêm a posse exclusiva de ativos estratégicos na cadeia de valor. Essa lógica histórica gerou conglomerados gigantes em toda a economia mundial.

Nesse sentido, é justificável que uma das estratégias mais utilizadas pelas companhias tradicionais para manter a liderança de mercado tenha sido a integração vertical. É famosa a história que conta que a Ford Motors, uma das maiores organizações do século XX, era proprietária de fazendas para criação de ovelhas que produziam a lã utilizada nos assentos dos seus automóveis, além de empresas de minérios de ferro e carvão que manufaturavam a matéria-prima utilizada em seu produto final.

O método de geração de riqueza dessas organizações tem como orientação estratégica essencial o total controle de sua cadeia de valor, que obedece a uma evolução linear de suas atividades. Insumos e matérias-primas são inseridos no início do sistema produtivo e, como resultado final, são transformados em produtos. Todos os passos do processo são controlados mecanicamente pela empresa.

Trata-se de um modelo estável e previsível que estava alinhado com as características da sociedade e da tecnologia disponíveis. Uma empresa que atuava em qualquer setor organizado da economia conhecia em profundidade o mercado em que seu negócio estava inserido: seus clientes, concorrentes, fornecedores, parceiros e todos os agentes de sua cadeia de valor. Um modelo que sofreu poucas mudanças essenciais desde sua origem na 1ª Revolução Industrial.

Tecnologia e comunicação, no entanto, geram uma ruptura importante nesse modelo de gestão. Se, por um lado, toda a lógica tradicional está centrada na conquista de escala por meio do controle de insumos e recursos, do lado do fornecedor, a nova economia traz consigo o ganho de escala por meio do crescimento da demanda existente.

À medida que mais mercados são acessíveis, é gerado o chamado "efeito da rede", que potencializa o alcance do negócio. De acordo com essa tese, um sistema cresce exponencialmente à proporção que aumenta o número de participantes de sua rede, gerando mais conexões e, como consequência, oportunidades de negócios.

Se, no modelo convencional, o ganho de escala se dá apenas por meio do controle dos custos de produção, a nova economia apresenta a possibilidade de obtenção do mesmo benefício mediante o aumento exponencial dos mercados atingidos e suas interações. O ganho de escala, que até então só acontecia orientado à oferta, agora tem uma nova perspectiva ao se orientar à demanda.

Esse efeito é impulsionado pela atuação em conjunto de diversas tecnologias, como redes sociais, aplicativos, novos dispositivos (smartphones, vestíveis etc.), aplicações escaláveis de baixo custo rodando na nuvem, entre outros projetos que inundam a realidade de todos os indivíduos e estão sendo desenvolvidos a uma velocidade extraordinária.

A economia de escala que só era possível graças ao ciclo "mais vendas, menores custos" conquista uma nova perspectiva. Não é mais necessário ter o controle total da cadeia de valor. A empresa que conseguir atrair mais pessoas para sua rede tem uma vantagem competitiva em relação aos concorrentes mesmo sem deter o controle total de seu ciclo produtivo.

A economia de escala que só era possível graças ao ciclo "mais vendas, menores custos" conquista uma nova perspectiva. Não é mais necessário ter o controle total da cadeia de valor. A empresa que conseguir atrair mais pessoas para sua rede tem uma vantagem competitiva em relação aos concorrentes mesmo sem deter o controle total de seu ciclo produtivo.

Quanto maior a rede, maiores serão as interações entre os participantes. Quanto mais interações, mais valiosos são os dados gerados que podem ser usados para aumentar as interações e gerar mais valor à rede. Quanto maior o valor gerado, maior a perspectiva de geração de receita a custos decrescentes de captação de cliente e de manutenção da rede. É o novo ciclo virtuoso da nova economia.

Ter influência em uma rede de agentes composta por clientes, parceiros e outras organizações em geral é mais relevante e rentável do que deter ativos físicos.

Como consequência dessa nova lógica, arranjos e associações até então inimagináveis tomam forma, visto que as fronteiras rígidas e previsíveis do modelo convencional estão sendo desconstruídas.

A tradicional e já citada indústria automobilística é um exemplo da nova ordem. Se, convencionalmente, a estratégia das principais organizações do setor era possuir o controle total de sua cadeia de valor, hoje existem movimentos em que as organizações abrem mão do comando em prol da construção de projetos mais adaptados à contemporaneidade.

A BMW, por exemplo, reconhecendo a limitação de seu know-how perante a nova realidade de mercado, uniu-se à Intel no desenvolvimento dos automóveis autônomos, buscando explorar sua *expertise* do domínio tecnológico, conhecimento essencial nesse novo negócio cada vez mais presente na realidade dos consumidores.

A própria Intel, atenta a esse movimento, adquiriu em 2017, por 15 bilhões de dólares, a Mobileye, empresa israelense focada no desenvolvimento de tecnologia de direção autônoma, na maior transação envolvendo uma companhia direcionada apenas a esse setor. Portanto, a Intel será parceira ou concorrente das empresas do segmento automobilístico? Ou melhor, quem serão os protagonistas desse mercado no futuro breve?

As rígidas fronteiras estão sendo destruídas, e a mesma Ford que controlava todo sistema produtivo tem questionado seu secular modelo de negócio. A empresa lançou uma frente de pesquisas e desenvolvimento em um plano denominado Ford Smart Mobility, que tem como objeto criar novas soluções de mobilidade utilizando tecnologia e conectividade (a Lei de Moore com a internet aí de novo...).

Sob esse guarda-chuva, foi lançado em 2016, em Londres, um projeto experimental de compartilhamento de carros, o GoDrive. Os usuários desse serviço podem utilizar os carros da frota participante do projeto em viagens só de ida com estacionamento garantido por toda cidade. O automóvel utilizado é guardado em um local predefinido e fica à disposição de outro cliente para outra viagem. Todo processo de reserva e pagamento é realizado por meio de um aplicativo para smartphones, e a transação é calculada por minuto de uso.

Essa realidade está muito mais próxima de nosso cotidiano do que parece, pois a companhia está realizando testes similares com seus funcionários em algumas fábricas no Brasil.

Na mesma direção, a GM opera projeto similar, intitulado Maven, que já operou de forma experimental em sua sede em São Paulo.

Com isso, as míticas Ford e GM dão passos largos para destruir seu atual modelo de negócios e preparam-se para capturar todo o valor existente nas interações que acontecem em sua rede de influência.

A aquisição do automóvel dá lugar ao acesso ao automóvel, e as tradicionais montadoras caminham para competir com o Uber.

E ainda existem pessoas que insistem que tudo o que está acontecendo não passa de modismo.

A consolidação de um novo modelo de gestão demanda a revisão dos modelos tradicionais, já que as transformações atuais são de cunho estrutural. Os atuais conceitos estratégicos clássicos estão em xeque e alguns gurus da administração devem colocar "as barbas de molho".

Como primeira CEO da Endeavor no Brasil, Marília Rocca é uma das pioneiras no desenvolvimento do ecossistema empreendedor no Brasil. Levou sua experiência ao ambiente corporativo sendo responsável por estruturação de modelos de inovação no ambiente empresarial aliando novas *startups* a modelos já existentes, além de liderar a transformação de uma das maiores e mais tradicionais empresas de serviços no Brasil. Neste *talk show*, disponível no link http://promo.editoragente.com.br/gestao-do-amanha-novo-paradigma, vamos explorar sua visão como empreendedora, investidora e líder executiva sobre as peculiaridades da nova sociedade e impactos para o ambiente empresarial.

O efeito rede e modelo das cinco forças competitivas de Michael Porter

O pensador que melhor soube catalisar e traduzir os efeitos do modelo tradicional de gestão em termos estratégicos foi Michael Porter. Não à toa, o professor da Harvard Business School é considerado um dos principais pensadores da estratégia na economia moderna. O modelo de Porter tem como fundamento principal a conquista do melhor posicionamento possível da organização diante dos concorrentes em sua cadeia de valor, tendo acesso, de forma diferenciada e, de preferência, exclusiva, aos insumos e recursos essenciais ao negócio.

Para realizar a análise competitiva da organização, o professor desenvolveu a visão das cinco forças competitivas que são os fatores que a empresa deve avaliar e medir para determinar uma estratégia eficiente. Essas forças são:

- Rivalidade entre concorrentes.
- Ameaças de novos entrantes.
- Poder de barganha dos clientes.
- Poder de barganha dos fornecedores.
- Ameaça de produtos substitutos.

Esse pensamento tem como base o padrão de gestão tradicional no qual estão muito bem definidos todos os agentes de sua cadeia de valor bem como suas responsabilidades e seus papéis.

Em artigo publicado na *Harvard Business Review Brasil*, intitulado "Pipelines, plataformas e novas regras de estratégia", os professores Geoffrey G. Parker, Marshall W. van Alstyne e Sangeet Paul Choudary discorrem com muita lucidez sobre a necessidade de revisitar a tradicional visão de Michael Porter à luz das transformações da atualidade.

De acordo com os autores, uma das limitações do modelo, nesse contexto, é que ele não leva em conta os efeitos da rede e o valor criado por meio das interações entre seus agentes. A análise das forças competitivas ainda se aplica, porém, na nova economia, elementos são introduzidos e essas forças se comportam de forma distinta da tradicional.

A principal meta do conceito é criar uma barreira intransponível em torno do negócio, evitando a proximidade da concorrência e deslocando-a para outro grupo estratégico. Com isso, almeja-se um posicionamento diferenciado que irá conferir maior rentabilidade para o projeto.

Na economia em rede, o maior valor extraído consiste no desenvolvimento de uma estrutura porosa e flexível que seja capaz de atrair novas companhias e agentes para o grupo estratégico da organização e gerar valor por meio das interações existentes no coletivo. O afastamento dá lugar à atração.

Se, no modelo de Porter, as forças externas devem ser evitadas, criando barreiras contra elas, no modelo de ganho de escala orientada à demanda, elas podem ser ativos relevantes ao negócio. Envolver fornecedores e consumidores na rede de influência da empresa, uma ameaça no modelo das forças competitivas, visto que pode aumentar o poder de barganha desses atores, tem o potencial de se configurar como benefício para as organizações que adotam uma modelagem alinhada com essa realidade.

O Airbnb é uma das startups mais estreladas da nova geração de companhias que está transformando a sociedade. Seu modelo de compartilhamento de hospedagem se consagrou, e a companhia passou de um valor de mercado de 30 bilhões de dólares em 2017 para 35 bilhões de dólares em 2019.

A empresa já intermediou a hospedagem de mais de 150 milhões de pessoas em todo o mundo e, atualmente, conta com mais de 3 milhões de acomodações em 65 mil cidades localizadas em 191 países. Tudo isso foi construído em menos de dez anos de existência.

É fácil concluir que o Airbnb compete com os tradicionais hotéis e diversas modalidades de hospedagens do setor e está "roubando" mercado. Se a análise estratégica tiver como base o modelo das forças competitivas, é necessário afastar os concorrentes da plataforma, criando uma barreira intransponível. Essa seria uma escolha convencional baseada no pensamento tradicional.

Não é isso que a startup tem realizado. Inicialmente, a empresa dedicou-se a atrair para o projeto pessoas interessadas em locar imóveis próprios e essa lógica colaborativa é a essência do negócio. Com o crescimento de sua influência e aquisição massiva de usuários, a plataforma construiu um coletivo de seguidores composto por compradores e vendedores que realizam inúmeras interações entre si, gerando um universo infindável de conhecimento proveniente do compartilhamento de seus dados. É o efeito rede se manifestando na prática.

A empresa não perde a oportunidade de utilizar essas interações de forma estratégica e aumenta, continuamente, a conexão com seus usuários que se transformam em fiéis clientes da plataforma.

Considerando que o mercado profissional conta com uma oferta importante de produtos para hospedagem com diversas características valorizadas por sua comunidade (pousadas, hotéis de luxo, econômicos, opções de bed & breakfast etc.), o Airbnb inicia um processo de aproximação com as empresas do setor.

Como resultado, boa parte das ofertas da plataforma é proveniente de empresas profissionais do segmento, em especial, pousadas e proprietários de produtos mais segmentados, que se uniram à rede para aproveitar o potencial de seus usuários. Alinhadas com esse movimento, existem iniciativas importantes de aproximação da startup com os mais tradicionais grupos hoteleiros do mundo.

Paradoxalmente, o Airbnb, que tem valor de mercado maior do que empresas centenárias do setor mesmo sem ser proprietária de um único imóvel, tende a ser uma parceria relevante para seus concorrentes, assim encarados de acordo com o, velho e bom, senso comum.

Na nova era dos negócios, organizações que, na visão convencional, seriam concebidas como competidoras atuam em conjunto, criando valor mútuo para todos e enriquecendo o ecossistema.

A nova dinâmica obriga uma análise mais aprofundada de todos os agentes que impactam o ecossistema em que está inserida a empresa para avaliar quais forças são capazes de adicionar ou extrair valor para o negócio.

A análise focada exclusivamente na linearidade da cadeia produtiva mostra-se incompleta, pois desconsidera os benefícios das interações do efeito rede e pode resultar em prejuízos irrecuperáveis para a estratégia do negócio, além de colocar em risco sua longevidade.

A visão das forças competitivas deve absorver outros elementos de análise para se adequar à nova dinâmica corporativa. A tradicional estratégia de ganho de competitividade sempre esteve baseada na visão dos chamados *trade-offs* (o ato de escolher uma coisa em detrimento da outra, em tradução não literal para o português).

Michael Porter tornou essa visão popular no mundo corporativo ao definir que o ponto crítico de toda estratégia é o ato de fazer escolhas.

Um dos principais *trade-offs* preconizados pelo modelo é o que sentencia que a organização deve ter um posicionamento claro e bem definido, navegando por dois vetores: a companhia pode ter um porte grande e ser líder em custo (o modelo dos grandes conglomerados) ou escolher pelo foco e pela diferenciação (empresas mais segmentadas que, por consequência, tendem a ser menores). De acordo com esse conceito, não é possível unir as duas escolhas em uma mesma estratégia.

Atualmente, as novas tecnologias permitem que organizações sejam capazes de ter intimidade e diferenciação com o cliente sem que represente impacto no porte do negócio. O alto poder de processamento de dados permitiu o surgimento dos conglomerados que aliam as duas proposições centrais no mesmo negócio, como é o caso da Alphabet, holding criada para reunir todas as organizações geradas a partir do Google, que tem um valor de mercado estimado em cerca de 900 bilhões de dólares (base: 2019) e se reveza com a Apple e a Microsoft como a companhia mais valiosa do mundo.

O *trade-off* "tamanho do negócio *versus* diferenciação" adquire novos contornos em função da tecnologia da informação aliada à conectividade e torna possível o surgimento de novos paradigmas a serem absorvidos na estratégia dos negócios.

O resultado final almejado com a aplicação adequada do modelo das forças competitivas de Porter é que a empresa tenha alto potencial de lucratividade, operando em um setor com grandes barreiras de entrada, com baixa concorrência, sem produtos substitutos, com fornecedores e clientes fracos. Assim, a arquitetura da estratégia da organização deve ser modelada de acordo com esses fatores (por meio das cinco forças competitivas), visando obter posicionamento na cadeia de valor que permita ter vantagem competitiva.

O caso da Amazon não corrobora essa tese.

A organização escolheu atuar em um mercado com altas barreiras de entrada, forte concorrência, inundado de produtos substitutos por causa da evolução tecnológica e de clientes com elevado poder de barganha.

Jeff Bezos sempre explicitou sua opção estratégica orientada a buscar muita intimidade com seus clientes ao mesmo tempo que nunca escondeu sua ambição pela construção de um grande negócio que não ficasse restrito ao produto original – livros. Foi dessa reflexão que surgiu o conceito da "loja de tudo".

Contrariando o modelo, a empresa escolheu uma estratégia orientada a ter grande porte, aliada à diferenciação por meio da intimidade com o cliente, não ancorada na obtenção de bens físicos, e sim na influência de sua rede de relacionamentos, que considera todos os agentes de seu ecossistema em um mesmo ambiente.

O êxito dessa estratégia só foi alcançado graças ao poder da tecnologia aliado com a comunicação, pois o alto potencial de processamento de dados fez com que fosse possível a extração de informações qualificadas das interações dos agentes da rede o que, por seu turno, contribuiu para a organização aplicar sua estratégia de intimidade com o cliente por meio de uma comunicação assertiva de recomendações que se transformou em referência para todas as organizações da nova economia.

Talvez se Bezos tivesse restringido sua estratégia ao pensamento porteriano, a Amazon seria a maior livraria do planeta e não uma das maiores varejistas do mundo.

Tal como a Amazon, há outros exemplos da nova economia que seguem um inovador receituário em seus modelos de negócios, como a Tesla no setor automotivo, o Nubank no financeiro, o Uber no de transportes e assim por diante.

Não se trata de destruir todo arcabouço conceitual que foi produzido ao longo das últimas décadas e que deu conta de contribuir para o desenvolvimento dos negócios. É requerido, no entanto, que as teses existentes sejam revisitadas à luz de todas as transformações estruturais presentes na sociedade.

Se isso não ocorrer de forma emergente, corre-se o risco de a água inundar o convés antes que haja tempo para uma correção de rotas. Milhares de corporações mimetizarão o efeito Titanic e se transformarão, simplesmente, em memória (talvez algumas em enredo para produções cinematográficas...). Aliás, esse movimento já está ocorrendo com a diluição do poder de inúmeras empresas, algumas míticas, sob o olhar incrédulo de seus líderes que continuam a tocar seus instrumentos tradicionais.

Novos modelos de gestão devem ser desenvolvidos para aproveitar os efeitos provenientes desse novo ambiente.

O modelo de plataformas de negócios emerge como opção estratégica valiosa para beneficiar-se do efeito rede e da virtuosa união de tecnologia e comunicação.

A visão da empresa como plataformas de negócios

O conceito de plataformas no mundo dos negócios é recente. Até pouco tempo atrás, o termo não tinha sentido claro no mundo corporativo. Não existe, em nenhum dicionário tradicional ou no Google ou na Wikipédia, uma definição formal para a sentença "plataforma de negócios".

O verbete "plataforma" não encontra correlação com termos corporativos. Ao buscar sua definição, nas fontes de pesquisa formais, a que mais se assemelha está atrelada ao ambiente da informática com a visão das plataformas tecnológicas ou virtuais.

Só recentemente, com o surgimento de novas empresas e projetos organizados em plataformas digitais que atingiram êxito avassalador no ambiente corporativo houve uma atenção maior a essa modelagem.

Contribuição decisiva para a nova conceituação foi oferecida pelos já citados professores Geoffrey G. Parker, Marshall W. van Alstyne e Sangeet Paul Choudary, autores do livro *Plataforma: a revolução da estratégia*, que trouxe uma perspectiva mais clara e estruturada. Trata-se de leitura indispensável para esses novos tempos e é uma das principais fontes de pesquisa para as teses aqui apresentadas.

O sucesso de startups, como Facebook, Uber, Airbnb, entre outras, fez com que a definição ficasse circunscrita à visão da plataforma digital. Aliás, o êxito desses negócios só se deu graças à união da tecnologia com a internet, visto que esse fenômeno tornou possível a construção de ambientes que reúnem inúmeros agentes da cadeia de valor da organização, que realizam infindáveis interações entre si, gerando informações qualificadas que são extraídas e decodificadas e produzem *insights* e ações que aumentam a sintonia com toda a comunidade em um ciclo virtuoso que cresce exponencialmente.

É importante trazer um elemento adicional à visão estabelecida sobre as plataformas que restringe sua abrangência a empresas digitais. O conceito deve extrapolar o modelo adotado por organizações digitais e expandir-se, sob o risco de ficar circunscrito a uma única dimensão restringindo o alcance de seu impacto.

Parker, Marshall e Choudary definem plataforma

> como uma empresa que viabiliza interações que criam valor entre produtores e consumidores externos. A plataforma oferece infraestrutura para essas interações e estabelece regras de funcionamento. O principal objetivo de uma plataforma é propiciar o contato entre seus usuários e facilitar a troca de bens, serviços ou "moedas sociais", permitindo assim a criação de valor para todos os participantes.

Publicamos um artigo na revista *HSM Management*, em 2016, no qual apresentamos uma visão mais abrangente sobre o tema e definimos que a plataforma pode, também, reunir um conjunto de negócios subordinados a uma estratégia única que, ancorado nas competências centrais da organização, constrói afinidade e relacionamento com sua comunidade de clientes, retroalimentando o sistema com os insumos gerados pelas interações entre todos os agentes do ecossistema. Essa perspectiva permite estender o conceito para todos os segmentos da economia e não apenas para o ambiente digital.

O caso da Apple concretiza bastante bem esse conceito trazendo uma abordagem mais expandida do modelo. A partir de uma visão clara a respeito de sua essência, a empresa se reinventou a partir do lançamento do iPod no final de 2001 e iniciou o desenvolvimento de uma das plataformas de negócios mais incríveis da história da humanidade.

Foi com base nesse simples aparelhinho, um tocador de músicas visto com incredulidade por muitos críticos na época, que a empresa transformou toda a indústria de música em um caminho sem volta. Até o início dessa revolução, a Apple centrava seu foco no desenvolvimento e na comercialização de computadores Macintosh, muito populares na indústria gráfica, porém de pouco apelo no mercado de consumo massivo.

A empresa adotava o clássico modelo de gestão linear de sua cadeia de valor, atuando como uma indústria que fabricava seu produto (mesmo que terceirizando parte do processo) até levá-lo ao consumidor final por meio de canais de vendas. Como consequência dessa atuação, a organização ruía com vendas declinantes e muita desconfiança do mercado especializado.

Apesar dos resultados negativos, a empresa nunca deixou de nutrir seu maior ativo: a afinidade extrema com seus clientes, que gerou inúmeros evangelistas da marca, os tradicionais e fiéis "applemaníacos". As bases para a formação de uma pujante comunidade de seguidores estavam postas.

Quando, com a retomada da liderança de Steve Jobs, a organização entendeu com mais clareza suas essência e competências centrais, mudou seu foco e evoluiu para uma plataforma de negócios. A partir do sucesso do iPod, a empresa avançou em áreas tão díspares, porém sinérgicas, como negócio de telefonia (iPhone), comércio físico (Apple Store), comércio eletrônico de aplicativos (App Store), comercialização de música (iTunes Store), vestíveis em geral e para inúmeras iniciativas que em nada lembram uma empresa que manufaturava somente computadores pessoais.

A Apple é uma plataforma de negócios rica e diversificada que não ancora suas iniciativas apenas no ambiente digital, porém utiliza-o de forma central em sua estratégia e consegue extrair valor por meio das interações entre os agentes de sua rede.

Apesar da forte afinidade com o mundo digital, é possível identificar organizações que se estruturam como plataforma de negócios em setores da economia convencional e utilizam a tecnologia para alimentar todo processo de criação de valor.

Uma boa referência é a austríaca Redbull. Lançada em 1984 com o foco na produção e na venda de uma inovadora bebida energética, a empresa hoje possui canal de TV, selo de discos, revista mensal, plataforma de desenvolvimento de games, aplicativos para tablets, smartphones e smart TVs entre outros produtos.

Também promove eventos esportivos consagrados, como a Air Race, competições de surfe, *downhill* e, como se não bastasse, é proprietária de uma equipe de ponta de Fórmula 1 e de equipes de futebol. Tudo isso e muito mais.

Qual é a essência que une essas ações? Seu posicionamento. Sua crença na liberdade, na ousadia, no estilo de vida radical levado ao extremo. A Redbull é uma empresa de lifestyle.

Essa crença é tão forte na organização que fez com que ela migrasse de uma empresa do setor de bebidas com um único produto para uma plataforma de negócios multidisciplinares tendo como vetor central a produção de conteúdos que gera uma comunidade de fãs da marca em um ecossistema de alto valor agregado. A Redbull é uma produtora de conteúdo, e o energético, fonte de sua origem, um de seus entregáveis principais.

Por meio do conjunto de suas iniciativas, a empresa criou um ambiente que reúne produtores e consumidores de diversas expressões culturais e esportivas que, orquestrados pela marca, geram valor entre si. A empresa estimula as interações entre os agentes e extrai informação relevante que retroalimenta seu negócio, gerando outras ações que fortalecem ainda mais seu posicionamento e sua vantagem competitiva.

A Redbull é uma autêntica plataforma de negócios. O meio digital oferece suporte, amplifica e fortalece suas múltiplas iniciativas, porém não é nele que a organização ancora sua estratégia de fomento às interações de sua comunidade que, usualmente, acontecem de forma presencial.

Todas as referências deixam claro que o conceito de plataforma apresenta distinções fundamentais em relação ao modelo de gestão tradicional, tema abordado em profundidade pelos autores na obra *Plataforma: a revolução da estratégia*.

No modelo convencional, a posse de ativos é fator crítico para deter maior controle da cadeia de valor. Esses ativos vão de físicos, como plantas industriais, máquinas e propriedades em geral, até recursos humanos, concretizados na formação e no controle de grandes grupos de trabalhadores. Nas plataformas, essa estratégia não é essencial visto que o maior ativo está centrado na comunidade que estimula interações entre seus participantes, gerando informações e negócios de valor. A consolidação de um ecossistema com essas características não pressupõe a propriedade de ativos físicos, e sim a harmonização da plataforma de negócios, visando torná-la cada vez mais atrativa a seus componentes.

O crescimento das organizações que seguem o modelo tradicional obedece à estratégia da busca pelo aumento de seu porte para incrementar seu poder de barganha com os agentes de sua cadeia de valor, além de obter ganhos de escala e diminuição de custos gerais de operação. Em muitas situações, a expansão do grupo empresarial opta pela diversificação, ingressando em segmentos não alinhados com seu negócio visto que são mapeadas oportunidades que visam exclusivamente gerar maior retorno sobre o capital investido.

Essa tese consolidou-se ao longo dos anos e gerou grandes grupos corporativos mundiais no início do século XX, como Rockefeller nos Estados Unidos, Hyundai na Coreia, Votorantim no Brasil e outras organizações do mesmo perfil que se assemelham pela diversidade de seus investimentos que vão de setores industriais, passando pela área financeira, petrolífera e outros segmentos da economia.

A expansão das plataformas de negócios tem como principal orientação o desenvolvimento de negócios sinérgicos destinados a atender demandas atuais e futuras de seus clientes. O êxito dessa evolução está relacionado com a adoção de negócios que estejam fundamentados nas competências centrais da organização. Esse aspecto constitui fator crítico de sucesso na seleção das oportunidades a serem alavancadas. Uma oportunidade com alto potencial de geração de valor no curto prazo deve ser descartada ou não desenvolvida se não estiver alicerçada nas competências centrais da organização.

É contraintuitivo, no entanto, avaliar a expansão de algumas plataformas sob a ótica da centralidade do cliente e do alinhamento dos negócios, visto que, em muitas situações, a disparidade de investimentos ocorre em negócios aparentemente desconexos e sem foco.

A Alphabet, uma das principais plataformas de negócios da humanidade, é referência nesse sentido. O próprio surgimento da *holding* exemplifica a profundidade desse modelo no negócio original do Google. O crescimento de sua plataforma foi tão robusto e acelerado que exigiu uma nova modelagem corporativa com a criação de uma entidade que reunisse todas as frentes do grupo e que se dedicasse a gerar recursos para que cada uma das iniciativas tivesse vida própria e fosse bem-sucedida. Objetiva fazer com que os negócios caminhem de forma independente, porém aproveitando as sinergias orquestradas pela *holding*.

Em sua origem, o Google se dedicava somente a buscas na web. A expansão de sua plataforma, e o consequente incremento de sua comunidade de clientes, permitiu explorar novos negócios em áreas como mapeamento, carros autônomos, reconhecimento de voz, automação doméstica e sistemas operacionais móveis, dentre tantas iniciativas que não param de se proliferar. Todos os empreendimentos surgiram a partir do mecanismo de busca, porém hoje possuem pouca relação, pelo menos a olho nu, com o projeto original.

Diferente dos conglomerados da economia tradicional, o crescimento da plataforma de negócios da Alphabet está relacionado com dois vetores bem claros: centralidade no cliente e aproveitamento das competências essenciais da organização. As informações geradas em todo o ecossistema são aproveitadas em todos os negócios do grupo e retroalimentam o processo, gerando um ciclo virtuoso.

De forma distinta do modelo tradicional de gestão, que se dedica com muita ênfase à otimização de seus custos de produção, as plataformas orientam seus esforços para ganhar escala por meio do incentivo às interações externas ao negócio. Quanto mais pessoas na comunidade, mais interações são geradas, que geram mais conhecimento, que geram outras iniciativas de valor.

Essa dinâmica faz com que seja necessário abrir mão da tradicional gestão baseada no controle total da cadeia de valor para uma orientação focada na autonomia dos agentes participantes do processo. A organização não controla de forma inflexível seu ecossistema e as interações entre os participantes; ela orquestra todos os recursos visando garantir uma participação mais efetiva de todos os componentes do ambiente.

O valor em uma plataforma não é gerado exclusivamente pela troca monetária entre participante e empresa proprietária do ambiente. Em algumas situações, a unidade de troca pode ser o consumo de determinado conteúdo, em outras, o compartilhamento de alguma informação e assim por diante. O valor da plataforma está no incentivo às interações, e, por meio delas, a detentora do ecossistema irá gerar valor monetário.

O crescimento avassalador do Facebook é um exemplo literal. Em sua origem, muitos analistas ainda duvidavam de como a empresa iria gerar receitas com seu projeto. Essa desconfiança perdurou até o momento em que a companhia, já com uma comunidade relevante e influente de usuários fiéis, começou o processo de monetização de seu negócio por meio do incentivo a investimentos publicitários, transformando-se em uma plataforma de mídia. A partir daí, suas receitas crescem a um ritmo vertiginoso atingindo a marca de 55,8 bilhões de dólares em 2018, o que lhe posiciona como a segunda maior empresa de publicidade móvel do mundo, atrás apenas da Alphabet.

O Facebook incentiva a participação de seus quase 2 bilhões de usuários por meio da troca de informações e monetiza sua plataforma a partir dessas interações e não diretamente pela venda de produtos ou serviços a seus clientes.

Muitos analistas torceram o nariz quando, em 2014, a organização adquiriu o aplicativo WhatsApp por 22 bilhões de dólares. O valor foi considerado "estratosférico", visto que a startup adquirida tinha cerca de 450 milhões de usuários e menos de cinco anos de vida.

Em 2019, no entanto, o aplicativo contabilizou mais de 1,6 bilhão de usuários em todo o planeta (mais de 130 milhões apenas no Brasil) que compartilham bilhões de informações entre si. Tudo fica mais claro nessa estratégia de aquisição quando participantes das duas redes de relacionamento começam a receber anúncios no Facebook de acordo com seu padrão de comportamento no WhatsApp. É o poder da rede recebendo os impactos da Lei de Moore e crescendo de forma extraordinária. Esse efeito potencializa o número de interações na plataforma e é a principal fonte de vantagem competitiva para o negócio. Dinamite pura.

Esses movimentos geram a necessidade de revisitar o tradicional conceito sobre a importância do foco nas organizações. Até então, esse conceito esteve muito atrelado com a visão de que a empresa deve aprimorar até o limite da excelência sua capacidade de fazer bem as atividades vinculadas com seu *core business*, seu negócio essencial.

Levada ao extremo, essa orientação culminou com a convicção da importância da excelência operacional, em que a organização mobiliza todos os esforços para fazer cada vez melhor a atividade na qual está inserida.

Estimuladas por essa perspectiva e influenciadas pelo avanço do pensamento oriental a respeito de qualidade total e por todo arsenal de conhecimento aplicado com sucesso em empresas como Toyota, muitas organizações perderam a visão a respeito da essência do seu negócio e voltaram a atenção excessivamente ao bem que produzem em detrimento da visão do cliente. Ou seja, não privilegiaram o foco do negócio, e sim o foco no próprio umbigo.

Por outro lado, organizações como a Alphabet, que conseguiram desviar a atenção do produto para o cliente, ampliam seus negócios de maneira diversificada. O que, por vezes, pode parecer perda do foco, na realidade, se traduz como clara visão da evolução de uma plataforma de negócios cuja orientação principal é atender aos anseios e desejos de seus clientes.

Como o comportamento do consumidor evolui com rapidez, essas empresas evoluem na mesma velocidade, o que resulta, em algumas situações, na desconstrução de investimentos, na descontinuidade de linhas de produto, novos negócios e outras apostas. É melhor que a própria empresa destrua negócios desalinhados com sua essência do que os concorrentes o façam.

Essa nova interpretação do foco tem relação íntima com o conjunto de competências centrais reunidas em uma corporação que lhe confere originalidade. Para construir essa tese, é requerido, mais uma vez, retomarmos ao básico: o olhar para o futuro demanda aprendermos com o passado.

Em 1990, Gary Hamel e o saudoso professor C. K. Prahalad publicaram, na *Harvard Business Review*, o clássico artigo "The core competences of the corporation" [As competências centrais de uma organização].

Nesse estudo, os autores defendem que o ambiente de negócios evolui tão rapidamente que é requerida uma alta capacidade adaptativa das organizações para que prosperem e sobrevivam.

As organizações devem desenvolver competências centrais (*core competences*) orientadas a atender aquilo que os consumidores precisam, mas nem sequer tinham imaginado. Ou seja, aquilo que seus clientes necessitam, porém ainda não têm consciência. Ao desenvolver tais competências, a empresa conseguirá se diferenciar de forma mais rápida que a concorrência e terá êxito em suas incursões com o cliente.

Assim, a redefinição do conceito de foco e a evolução da visão da organização como plataforma de negócios orientada ao cliente estão relacionadas com o desenvolvimento das competências essenciais da empresa, visando não apenas atender às necessidades atuais de seus consumidores, mas também às demandas futuras. Em um ambiente instável, volátil e dinâmico, essa perspectiva é determinante para o sucesso ou o fracasso das organizações hoje e sempre.

Uma característica fundamental das empresas que seguem esse modelo faz com que o desenvolvimento de suas competências centrais se torne um de seus principais eixos de investimento: plataformas de negócios são expansionistas.

É um elemento marcante, presente em todos os grupos que adotam esse modelo, visto que a evolução do número de interações é o gerador fundamental da produção de resultados para o negócio. Em português claro: o crescimento do projeto tem relação intrínseca com a ampliação de sua influência no seu ecossistema.

Trata-se da nova lógica do desenvolvimento dos grandes grupos empresariais do mundo contemporâneo e o risco do surgimento de monopólios compostos por empresas dominantes da nova era.

Organizações com esse perfil estão sempre atentas às oportunidades geradas pela evolução do comportamento do consumidor, sobretudo, tendo em vista suas demandas futuras, que muitas vezes não são percebidas nem pelo mercado nem pelo próprio cliente. Essas empresas e seus líderes têm muita facilidade de destruir negócios que outrora eram promissores em favor de novos investimentos mais alinhados com sua visão de futuro.

Por esse motivo, a predisposição a se arriscar e assumir o erro como processo natural de sua evolução é um comportamento organizacional requerido e valorizado.

Até 2012, o Google havia lançado cerca de 250 novos produtos. Desse universo, 90 projetos não foram bem-sucedidos (está nessa estatística o finado Orkut, sucesso meteórico no Brasil que deu início à forte cultura de utilização de redes sociais).

Um caso recente de fracasso que recebeu muito destaque foi o Google Glass. Esse produto, visto como revolucionário, teve uma mudança de estratégia que sentenciou a morte do projeto tal qual havia sido concebido. A organização não teve nenhum pudor em desconstruir a visão de mercado trabalhada de maneira extenuante em todas as oportunidades: um produto que iria transformar a sociedade.

Atualmente, estão sendo testados novos usos para o produto em especial no mercado corporativo que em nada se assemelham ao projeto original.

Não foi esse revés que fez com que a empresa reduzisse seu ímpeto de desenvolvimento de novas soluções ao mercado. Só em 2014, o Google foi uma das dez empresas que mais solicitou patentes no mundo, com 2.566 pedidos (no mesmo período, foram solicitadas em todo o Brasil 3.108), e novidades não param de aparecer.

A evolução de uma plataforma de negócios é dinâmica e muito flexível. Uma lição importante que, se analisada de forma superficial pode parecer um contrassenso com o expansionismo característico desses projetos, é que em geral há mais êxito no dedicar-se em garantir o valor das interações entre os participantes antes de focar o tamanho do negócio. É a partir da qualidade das interações que o efeito rede ganha força e o crescimento é exponencial; em especial na formação do projeto, profundidade é mais relevante do que abrangência.

A gigante chinesa Alibaba mostra como a profundidade pode gerar abrangência não só no que se refere ao tamanho da comunidade reunida na plataforma, mas também na diversificação dos serviços prestados.

A empresa foi fundada na China em 1999, por Jack Ma. No início, o site era voltado para a geração de negócios entre empresas, um modelo de *e-commerce* orientado ao mercado B2B com a comercialização de máquinas, equipamentos e insumos em geral. O principal foco do negócio era conectar compradores estrangeiros com fornecedores locais, aproveitando os efeitos da abertura de mercado promovida pelo governo na época.

Com o sucesso do negócio, Ma especializou-se em montar *marketplaces* on-line, ambientes que unem compradores e vendedores e que lucram por meio de comissões provenientes das intermediações realizadas nas plataformas e da receita gerada por anúncios publicados nos sites. Até então, o foco ainda estava centrado exclusivamente nos negócios entre empresas.

Após quatro anos do início do projeto, a organização já se denominava Alibaba Group, um prenúncio de sua visão expansionista. Foi quando lançou o site Taobao, a primeira incursão da empresa na aproximação de consumidores finais. Um modelo similar ao Mercado Livre, *e-commerce* popular no Brasil, ou ao líder mundial eBay.

A partir daí, o negócio não parou de crescer. Atualmente, mais de 450 milhões de consumidores em todo o mundo realizam alguma compra pelo site. Existem milhões de empreendedores chineses que sobrevivem exclusivamente graças às vendas geradas pelos *marketplaces* do Alibaba Group.

Em 2014, Jack Ma decidiu dar um ousado passo e abrir o capital da empresa na Bolsa de Valores de Nova York. O resultado foi surpreendente: o maior IPO já realizado no mundo até aquele momento, com a companhia levantando mais de 25 bilhões de dólares de investimento.

No ano fiscal de 2018, a empresa teve um faturamento anual estimado em mais de 40 bilhões de dólares e um valor de mercado estimado em cerca de 480 bilhões de dólares, o que lhe confere uma posição de destaque entre as gigantes do setor de tecnologia. Estima-se que mais de 75% de todas as transações do titânico mercado de compras on-line chinês passem pelos sites da empresa.

A organização, no entanto, não se considera uma empresa de *e-commerce*. Tampouco uma empresa de tecnologia. A Alibaba assumiu o posicionamento de uma "data company" (algo como uma empresa de dados). E é justamente esse posicionamento que caracteriza a organização como uma plataforma de negócios.

Capitalizada pelo seu elevado IPO, a organização foi às compras e, desde então, adquiriu ou criou mais de cinquenta empresas que atuam em diversas frentes e negócios. São fintechs, empresas de logística, *big data*, internet das coisas, inteligência artificial e realidade virtual, além de uma iniciativa muito bem-sucedida na área de *cloud computing*.

A estratégia central dessa expansão tem como foco explorar todas as oportunidades de conhecimento geradas pelas interações que acontecem dentro de suas plataformas. A organização capta volumes massivos de dados em seus *marketplaces* e sites e os utiliza para criar mais valor ainda a sua comunidade, potencializando a geração de negócios entre seus participantes – e, como consequência, mais fundos para seu já recheado caixa.

O caso da Alipay exemplifica de forma clara o alcance dessa estratégia. Lançado em 2004 para auxiliar os compradores da plataforma no processo de pagamento, o serviço funciona como um intermediário nas compras e vendas. Ele retém o dinheiro pago pela mercadoria e só entrega ao vendedor depois que o comprador recebe o produto e confirma se tudo está de acordo com o combinado.

Não satisfeito com o crescimento orgânico do negócio de pagamentos, a empresa resolveu, aproveitando-se do enorme volume de transações geradas no sistema, criar um novo negócio que mais se assemelha a um banco convencional.

Todo empresário tem uma demanda contínua por capital para investir em seu negócio. Esses recursos têm destinações diversas, como garantir um bom fluxo de caixa ou algum investimento necessário para a expansão do negócio, como diversificar a linha de produtos ou ampliar suas linhas de produção.

Ao observar essas demandas de capital dos empreendedores usuários da plataforma, foi criado um fundo de investimentos orientado a captar recursos financeiros e destiná-los a empréstimos às empresas clientes do Alibaba. Os recursos para estruturar esse fundo foram captados junto aos clientes finais da plataforma, de modo que todo cidadão pode investir nessa modalidade.

Aproveitando-se de sua rede de relacionamentos, a plataforma apenas orquestrou seus diversos agentes na realização de negócios mútuos, sendo recompensada pela diferença de quanto remunera o investidor em relação aos juros pagos pelo tomador dos empréstimos.

Como quase a totalidade das vendas das empresas que solicitam recursos acontece no site, a plataforma tem acesso ao histórico de transações com todas as informações necessárias para realizar uma análise de crédito assertiva, o que diminui a probabilidade de inadimplência. A tecnologia, por meio da utilização de algoritmos, realiza a avaliação de risco de cada operação com pouca ou nenhuma interferência humana.

Contribui para a diminuição do risco da operação, a onipresença da plataforma nos negócios on-line do país: nenhuma empresa pode correr o risco de estar fora desse ambiente.

O resultado final dessa estratégia? Foram 107 bilhões de dólares de empréstimos realizados a 4 milhões de pequenas e médias empresas clientes que, fortalecidas, investem mais ainda na venda de seus produtos nos *marketplaces* do grupo, criando um ciclo virtuoso. Um aspecto absolutamente relevante na análise dessa estratégia é que ao mesmo tempo em que emprestou 107 bilhões de dólares, a empresa angariou 117 bilhões de dólares de investimento para seu fundo provenientes de 152 milhões de pessoas físicas.

Ou seja, os recursos destinados ao financiamento de seus clientes foram obtidos com capital de terceiros. A organização não necessitou mobilizar um único centavo de investimento para fortalecer seus clientes e ainda ganhou muito dinheiro ao lucrar com a diferença dos juros cobrados para as empresas em relação aos juros pagos aos investidores.

O negócio ostenta, ainda, uma inacreditável taxa de inadimplência da ordem de 0,001% do montante total de crédito. A cada 100 mil dólares emprestados, apenas 1 dólar não é recebido pela organização.

Uma boa arquitetura de plataforma de negócios permite a obtenção de ganhos não apenas por meio dos produtos ou serviços proprietários, mas orquestrando os diversos agentes de seu ecossistema. A comunidade é o principal ativo da organização.

O mercado financeiro reconhece a relevância dessa estratégia que se traduz em seu valor de mercado. A empresa controladora do Alipay, a Ant Financials, passou de um valor de mercado de 75 bilhões em 2017 para 150 bilhões em 2019 (base: 2019). Ou seja, apenas esse negócio do Alibaba Group vale mais do que o Goldman Sachs, uma das mais tradicionais instituições financeiras do mundo, centenário banco de maior capitalização dos Estados Unidos.

Uma das estratégias principais da evolução da plataforma de negócios do Alibaba está ancorada na integração do ambiente digital com o físico. No início de 2017, a organização adquiriu a varejista física Intime Retail, que possui uma rede de 29 grandes lojas e 17 centros comerciais espalhados pela China. Representantes do Alibaba esclareceram que o objetivo desse movimento é transformar o varejo tradicional, explorando o alcance da marca com seus consumidores por meio do acesso a dados e tecnologia.

O movimento de integração entre os chamados mundos on e off-line é uma das tendências para as empresas que adotam a modelagem de negócios como plataforma, sobretudo para aquelas nativas digitais. O objetivo é a ampliação da esfera de influência em toda a comunidade, visto que não existem mais fronteiras para as dimensões física e digital.

Além disso, almeja-se com essa estratégia exportar todo o conhecimento proveniente do uso de tecnologia massiva no relacionamento com os participantes de seu ecossistema, criando um novo paradigma na forma como as empresas se relacionam com seus clientes.

Em 2017, a Amazon realizou um dos mais ambiciosos movimentos nesse sentido ao adquirir a varejista norte-americana Whole Foods por 13,7 bilhões de dólares, a maior aquisição já realizada pela organização. Não se trata, no entanto, de um movimento isolado. Nos últimos anos, a gigante tem realizado diversas aquisições de livrarias físicas e inaugurado lojas próprias em algumas estratégicas cidades norte-americanas, como Seattle e Nova York.

Nessas experiências, a organização está propondo um novo modelo de experiência no ponto de venda físico com o farto uso de tecnologia, em que o consumidor, cadastrado no aplicativo da empresa, é identificado por seu QR Code e realiza compras sem a necessidade de passar por um checkout presencial, pois suas movimentações são registradas no app.

A integração total do ciclo de relacionamento com o cliente em seus diversos pontos de contato é um caminho virtuoso, valorizado pelo potencial e pela acessibilidade das novas tecnologias.

Tanto no exemplo do Alibaba como no da Amazon, a expansão da organização teve início na especialização do seu negócio original, o que garantiu melhor entendimento das interações dos consumidores de sua rede e, a partir desse aprofundamento, permitiu um crescimento em dimensão inimaginável.

Mais uma vez, a dinâmica se apresenta: o potencial de desenvolvimento de uma plataforma de negócios é exponencial visto que se aproveita do efeito rede alinhado à Lei de Moore, que permite a utilização da tecnologia para gerar valor em todas as interações realizadas por seus participantes.

O movimento de integração com o ambiente físico traz consigo a perspectiva de alinhamento de novas organizações com tradicionais empresas do mundo corporativo. Mais do que isso: é a composição de um novo modelo de negócios.

Esse contexto estimula uma reflexão acerca dos limites entre o modelo de plataforma de negócios e o tradicional modelo de gestão corporativa. É necessário que todas as organizações migrem para essa nova modelagem de negócios? Trata-se de um caminho sem volta?

Neste link http://promo.editoragente.com.br/gestao-do-amanha-modelos você poderá assistir a um *talk show* em que Rony Meisler fala sobre os esforços importantes que tem realizado em seu negócio no sentido de migrar seu empreendimento para o contexto da transformação digital. Iremos explorar sua visão e experiência para ter uma percepção clara dos desafios e das oportunidades que envolvem esse movimento.

Os motores de crescimento 1 e 2

Em um ambiente de intensas transformações e rupturas, existem poucas respostas definitivas. Não é plausível sentenciar que todo manancial de conhecimento e experiências acumuladas pelas empresas tradicionais ao longo de mais de um século deve ser simplesmente descartado.

Também é relevante destacar que a história recente já testemunhou casos de insucesso de plataformas digitais que, a despeito de inúmeras recomendações e convicções do seu êxito no início do negócio, redundaram em um fracasso avassalador, como o caso da norte-americana MySpace, do Orkut ou da Napster que, a despeito de ter dado o pontapé inicial que culminou na transformação da indústria fonográfica com o *streaming* de músicas, não foi capaz de capturar todo valor criado gerando um negócio bem-sucedido.

Até mesmo o Uber, umas das principais referências dessa modelagem, tem tido problemas regulatórios sérios no desenvolvimento de seu negócio que geram desafios não mapeados. Não existe modelo de negócios infalível.

Por outro lado, é inegável que as organizações que têm adotado essa nova perspectiva estratégica em seus projetos têm obtido resultados exponenciais com uma expansão robusta e veloz.

Qual então seria o movimento próspero que alie conhecimento e ativos acumulados com uma ação mais alinhada com as características atuais da sociedade?

Existe um paradoxo fascinante que torna a resolução dessa sentença um desafio, que justifica a dificuldade de as organizações e seus líderes darem passos propositivos rumo ao novo.

Ao mesmo tempo que organizações tradicionais reconhecem a necessidade de partir para uma perspectiva de gestão mais alinhada com os novos movimentos da sociedade aproveitando os avanços tecnológicos e de conectividade, existe a necessidade de preservação de seus ativos atuais.

Em português claro: como realizar um movimento de ruptura preservando a geração de caixa presente da organização? Como não destruir o presente em prol de um futuro que pode não existir?

Há mais de quatro séculos, o navegador Hernán Cortés aportou na América Latina, mais especificamente em Cuba, determinado a conquistar aquela região para a Coroa Espanhola. Observando os olhos amedrontados dos tripulantes de sua armada perante o mistério do desconhecido, ordenou que todos os barcos fossem queimados dirimindo, dessa forma, qualquer dúvida a respeito de seu objetivo. Foi, a partir desse gesto, que Cortés conquistou o Império Asteca e todo território onde atualmente se encontra o México.

Estariam as empresas preparadas para "queimar seus navios" rumo à conquista do Novo Mundo?

Em meados dos anos 2000, os líderes da Netflix forjaram a convicção de que o core, a essência de seu negócio, iria sofrer uma transformação dramática como consequência da diminuição dos custos de acesso à tecnologia, movimento que favoreceria o avanço do *streaming* de vídeo, uma nova forma de distribuir seu conteúdo que alteraria toda dinâmica do projeto original vencedor.

Ainda estava muito viva a imagem da ruptura que a própria empresa havia causado no setor ao dizimar a líder Blockbuster. Estava claro que, se não adaptasse seu negócio, mudaria de posição, e o caçador se transformaria em caça com novas Netflix causando estrago semelhante àquele do qual foi protagonista.

No entanto, a entrega de DVDs via postal era o principal gerador de caixa para a empresa. Sem os recursos provenientes desse negócio, não seria possível angariar investimentos para transformar totalmente seu projeto e consolidar sua plataforma.

A solução encontrada foi a não descontinuidade do negócio original, fonte de geração de caixa no curto prazo, ao mesmo tempo que foi desenvolvida uma estrutura em paralelo na própria organização destinada a implementar a estratégia de *streaming*, preparando a empresa para a migração de modelo.

Em vez de aguardar que um concorrente destruísse seu negócio, a Netflix se antecipou e fincou as bases para ser a responsável pelo aniquilamento de si mesma.

O resultado se traduziu no crescimento exponencial do negócio e na conquista de mais de 100 milhões de assinantes em todo o planeta. Até hoje, no entanto, a empresa mantém seu serviço de assinatura postal de DVDs com uma pequena carteira de clientes que ainda opta pela utilização desse tipo de serviço em detrimento do meio digital.

Desenvolver um motor de crescimento orientado a garantir a geração de resultados financeiros no curto prazo com outro motor destinado à geração de resultados no futuro é uma estratégia que contribui para que a organização se prepare para o novo sem abrir mão dos recursos do presente.

É como se os navios fossem queimados ao mesmo tempo que outra frota se dedicasse à manutenção das conquistas presentes.

A consultoria norte-americana Bain & Company define essa estratégia como a integração do motor 1 (foco na operação atual) com o motor 2 (foco no futuro) no ecossistema da organização.

Os líderes do atual ambiente empresarial devem estar preparados para garantir a geração de resultados no presente, dedicando-se a obter a maior eficiência possível na organização, ao mesmo tempo que se aplicam a criar as bases que tornarão seu modelo atual obsoleto.

Os dois motores demandam abordagens distintas muito específicas. No motor 1, são necessários muita disciplina, melhoria contínua nos processos e monitoramento constante na redução de riscos para a operação, sobretudo os financeiros.

No motor 2, são requeridos uma gestão baseada na agilidade, maior propensão ao risco, originalidade e uma estrutura financeira específica, visto que o retorno sobre o investimento sempre será em longo prazo e existe a clara perspectiva da perda de recursos em apostas que não darão certo e deverão ser descontinuadas.

O motor de crescimento 2 sempre se orientará à criação de um negócio mais apto a catalisar as novas demandas dos clientes, à nova arena competitiva, às ameaças e oportunidades da nova economia. Essa iniciativa não deve ser encarada apenas como uma fonte de novos negócios, e sim como o veículo que transformará totalmente a companhia no futuro.

Essa reflexão estratégica representa uma oportunidade para integração ou ruptura do modelo atual de gestão com a estruturação de uma plataforma de negócios. A organização que segue o padrão tradicional pode adotar uma frente alinhada a desenvolver as bases da movimentação para um modelo baseado em plataforma utilizando a lógica dos motores 1 e 2 de crescimento, com o último representando a experimentação e a validação de uma nova modelagem de negócios.

O movimento de migração mostra-se muito virtuoso e próspero, porém algumas empresas irão optar por manter as bases de um modelo de gestão tradicional em decorrência de características específicas de seu negócio e contexto organizacional.

Mesmo nesses casos, é imperativo existir uma frente estratégica destinada a catalisar as oportunidades geradas pela formação das plataformas de negócios, que podem representar oportunidades incríveis de crescimento ou, então, ameaças não mapeadas que têm o potencial de sentenciar a extinção da organização.

A lógica da estratégia de desenvolver os motores 1 e 2 de crescimento é bastante coerente. Em tese. Na prática, porém, existe um risco que não pode ser subjugado em sua aplicação, que representa toda a diferença do sucesso ou do fracasso do movimento: com receio de mudanças e tendência à manutenção do *status quo*, os líderes da organização podem ficar presos a suas crenças e zona de conforto e sabotar o crescimento de estratégias mais disruptivas.

Se não houver o apoio incondicional da alta gestão e a firme convicção da necessidade da mudança, possivelmente a transformação não acontecerá, imersa em inúmeras desculpas e constatações que "provarão" que não é necessário tanto esforço e investimento.

Em não raros casos, aquela clássica observação "isso não vai pegar" é despejada da boca de líderes convictos com suas verdades absolutas e situações corporativas confortáveis quando defrontados com novas tecnologias.

Encasulados em suas suntuosas salas particulares e assistidos passivamente por secretários e assistentes, os líderes do ontem conseguem persuadir a todos que o melhor caminho é a manutenção das estratégias atuais com a realização, quando muito, de mudanças incrementais. Mera perfumaria. Ah, e de forma alguma pensar em qualquer investimento em longo prazo que possa impactar seu bônus de final de ano.

Uma das evidências de que a companhia está caindo nessa armadilha se refere a seu padrão de investimento anual quando aloca os recursos do próximo ano nas linhas de negócios de acordo com as receitas do ano corrente.

Essa fórmula tradicional de elaboração do orçamento anual é a receita imbatível para orientar as ações da organização exclusivamente nas melhorias incrementais, visto que nenhum incentivo financeiro significativo estará destinado a frentes estratégicas destinadas ao futuro, pois ainda não geram caixa.

A consequência dessa escolha é que iniciativas do tipo sempre ficarão em segundo plano, como a geração proativa de novas demandas, a proteção de ameaças que não existiam antes ou a identificação de novas necessidades de seus clientes.

Concentrar toda estratégia da organização em ações orientadas ao crescimento incremental representa riscos para a longevidade do negócio, pois a velocidade do ambiente é acelerada e repleta de rupturas. Com o tempo, a dinâmica do crescimento incremental vai minguando, enquanto outros competidores encontram novas formas de atuação no mesmo negócio, deslocando os líderes tradicionais do setor para áreas de menor lucratividade até que se tornem irrelevantes.

Um caso que tem sido apresentado com muita frequência como referência, retratado no livro *Organizações exponenciais*, que a despeito de sua repetição vale a pena ser resgatado, é o da Kodak.

A organização sempre se caracterizou por ser uma companhia inovadora. A empresa foi fundada por George Eastman, o inventor do filme fotográfico, em 1880 e registrada como marca em 1888. Também são responsabilidade da companhia a invenção e a popularização das câmeras fotográficas pessoais, em 1900, que logo se transformaram em uma onda avassaladora em todo o mundo.

A marca se tornou um ícone na sociedade norte-americana, estando presente em diversos momentos míticos da cultura mundial, como nas fotos realizadas por Neil Armstrong na superfície lunar na missão Apolo 11 ou na gravação da coroação da rainha Elizabeth, na Inglaterra, em 1953. Oitenta vencedores do Oscar de melhor filme foram feitos com filme Kodak. A empresa chegou a ser responsável por 90% de todos os produtos vendidos em território norte-americano.

Tudo isso não foi o suficiente para a longevidade da organização que, como já mencionado em capítulo anterior, pediu falência em 2012, deixando órfã uma legião de fãs e apaixonados pela marca.

O que aconteceu com a companhia que chegou a ser a empresa privada com o maior número de colaboradores em território norte-americano, faturamento que superava a casa de 10 bilhões de dólares e que nasceu da originalidade de um inventor?

Ao longo dos anos, após a invenção da máquina fotográfica pessoal, a organização se esmerou em desenvolver melhorias em seu produto principal. Diversos novos filmes foram aprimorados, como o Kodachrome que revolucionou o mercado por sua nitidez e durabilidade e que, como consequência de sua qualidade, liderou o mercado por mais de setenta anos. No aprimoramento de seus produtos, a empresa foi infalível.

Em 1975, um de seus executivos desenvolveu o primeiro protótipo da câmera digital. O produto ainda era grande e desajeitado, do tamanho de uma torradeira, e demorava mais de vinte segundos para produzir uma imagem em preto e branco. A despeito de todas as limitações, no entanto, era o prenúncio da era digital.

Os resultados com a venda de filmes, porém, eram muito tentadores, e os líderes da organização não tiveram a visão do potencial daquele novo negócio. A principal pergunta que se fizeram foi: "Como esse negócio irá nos ajudar a vender mais filmes que representam mais da metade do faturamento da empresa?". Não conseguiram se desprender do sucesso no presente e rifaram a longevidade futura da organização.

Ao desenvolver uma estratégia centrada em melhorias incrementais, a organização, mesmo tendo dentro de casa uma solução possível para sua sustentabilidade no futuro, não foi capaz de reconhecer as ameaças que iriam lhe vitimar fatalmente.

Em 1992, foi publicada pelo jornal britânico *The Guardian* uma entrevista com um ex-vice presidente da Kodak que menciona que a empresa estava pronta para ingressar no negócio de câmeras digitais, porém seus líderes vetaram a ideia com receio da canibalização do negócio de filmes.

O mesmo padrão de pensamento existente em meados da década de 1970 continuava presente na empresa cerca de vinte anos depois e impediu de reconhecer todas as evidências de um mundo que já caminhava a passos largos para outro paradigma de negócios no setor. Ao não desenvolver as bases para sua autodestruição, a companhia foi destruída por terceiros.

Mais do que novos produtos, surgiram modelos de negócios inovadores, e a telefonia móvel transformou o mercado. Enquanto a Kodak estava preocupada com a canibalização de seu negócio central, organizações como a Apple, que nunca atuou no segmento, iniciavam um movimento que culminou com o domínio da tecnologia digital de imagens permitindo a geração de recursos até então não extraídos dessa cadeia de valor.

A Kodak morreu com a convicção de que produzia um produto com qualidade excepcional, porém que não tinha mais uso para a grande massa de consumidores.

A melhoria incremental é fundamental para a evolução da organização. Nessa nova era, no entanto, ela não irá assegurar a longevidade da companhia. Deve estar aliada a iniciativas concretas orientadas ao futuro.

A velocidade das transformações faz com que o valor gerado pela empresa seja julgado diariamente pela sociedade, na forma de consumidores atentos. Ao surgir uma nova opção que atenda suas demandas latentes ou as não mapeadas, esses implacáveis "juízes", sem dó nem piedade, canalizarão sua atenção ao novo, deixando à míngua as empresas que não entenderem a evolução do mercado.

Por mais cruel que seja essa visão, foi assim que aconteceu com a Kodak e é assim que milhares de outras empresas estão sendo postas à prova.

Para fugir da armadilha da tendência à manutenção do *status quo*, uma alternativa é posicionar a estrutura do motor 2 sob o guarda-chuva da corporação, porém com estrutura, equipe e fundos gerenciados de forma independente. Dessa forma, garante-se um foco mais claro nas demandas que não fazem parte do dia a dia, evitando que as iniciativas orientadas ao futuro da organização sejam vitimadas pelas preocupações com o presente, que se apresentam na desafiante rotina diária da corporação – e que não podem ser relegadas ao segundo plano, visto que os recursos gerados no presente serão indispensáveis para o investimento no futuro da empresa.

Da mesma forma que não é inteligente ignorar as evidências para inovação no negócio, questionando o modelo atual, também não o é destruir todo o legado e conhecimento da companhia construídos ao longo de décadas, em algumas situações até em séculos.

Um paradoxo instigante é que a alavanca para o novo reside no essencial, no imutável. Por mais romântica que possa parecer essa frase, ela é de uma objetividade ímpar: para desconstruir a organização, é necessário entender sua essência, aquilo que é o mais básico, o mais central, a sua mais importante característica.

Não é de hoje que esse tema tem sido alvo de reflexão por parte dos mais brilhantes pensadores da gestão.

Silvio Genesini tem larga experiência executiva à frente de organizações que atuam no epicentro das transformações da 4ª Revolução Industrial. No *talk show* que você pode assistir neste link http://promo.editoragente.com.br/gestao-do-amanha-motores-de-crescimento, exploramos sua visão prática a respeito dos desafios dos investimentos em inovação e como viabilizar uma estratégia que alinhe o foco no curto prazo com o médio e longo, garantindo a sobrevivência e prosperidade da organização.

What business are you in?

Mais uma vez, a resposta às perguntas do futuro repousa no passado. Nesse caso, mais especificamente em julho de 1960, quando foi publicado na *Harvard Business Review* o já mencionado artigo que iria revolucionar a forma como os negócios eram encarados: "Marketing myopia" [Miopia em marketing].

Seu autor, Theodore Levitt, apresenta a visão de que é necessária uma mudança fundamental na função principal da companhia, com a migração de sua orientação do bem que produz para o universo do cliente. Um dos principais méritos do artigo é fazer as empresas questionarem em que negócio realmente estão.

O clássico exemplo da decadência das ferrovias sintetiza bastante bem esse pensamento: a indústria ruiu não porque surgiu a indústria automobilística, mas porque as empresas estabelecidas, cegas pelo sucesso, não entenderam que não estavam no negócio de ferrovias, e sim no negócio de transportes. Se, em sua essência, desviassem a atenção às aspirações de seus clientes em detrimento de orientação excessivamente autocentrada, poderiam ter desenvolvido soluções adequadas a seus consumidores e não apenas produtos melhores. Os líderes do setor não conseguiram enxergar a plataforma em que atuavam. Resultado: um setor inteiro faliu.

Curioso notar que, após incríveis 47 anos, a indústria automobilística, que relegou ao segundo plano o setor mais pujante da economia na época, está às voltas com a mesma reflexão sobre com qual negócio está de fato envolvida e se vê presa às premissas básicas e verdades absolutas que a transformaram em um colosso nos negócios, mas que podem sentenciar seu fracasso em pouco tempo.

Em julho de 1994, quando surgiu a Amazon, houve uma reunião memorável conduzida por Jeff Bezos com o grupo inicial de colaboradores da recém-fundada companhia, em que seu criador sugeriu que o sistema poderia dar a oportunidade de os leitores avaliarem os livros que adquirissem. Esse momento é histórico, pois representa o surgimento do sistema de *rating* (avaliação, em português) que, em um futuro breve, iria se popularizar em toda a internet e transformar-se no principal catalizador do sucesso da organização.

No encontro, um dos colaboradores foi contrário à decisão. Argumentou que, dessa forma, a plataforma iria desestimular a aquisição dos produtos com pior avaliação. Como consequência, venderiam menos livros. Subitamente, e com a energia característica, Bezos afirmou: "Quem disse que estamos no negócio de vender livros? Nossa visão é ser a empresa mais centrada no cliente. O lugar aonde as pessoas vão para encontrar e descobrir qualquer coisa que quiserem comprar on-line".

Em trinta dias de sua fundação, a Amazon vendeu livros em cinquenta estados norte-americanos e 45 países. Em poucos anos, transformou-se em uma das maiores empresas do mundo digital. Se a visão de Bezos não estivesse clara desde o início do negócio, será que a empresa iria atuar em setores tão distintos quanto a comercialização de DVDs, eletroeletrônicos, vídeo on demand, *cloud computing* (em que está superando empresas tradicionais no setor, como Cisco e IBM), mídia, varejo físico, dentre tantas outras frentes exploradas pelo negócio?

Ou, então, como na indústria ferroviária, será que a organização não ficaria focada apenas na venda de livros e reduziria seu negócio a esse nicho específico? Poderia até tornar-se a maior empresa de venda de livros do planeta, porém será que se transformaria em um dos casos mais representativos do ambiente corporativo atual consolidando uma nova forma de relacionamento com clientes que contagiou todos os negócios digitais no mundo?

Para a Amazon, está evidente a visão de sua essência e seu potencial como plataforma de negócios. A empresa não para de crescer (já é uma das cinco maiores empresas do mundo em valor de mercado).

Separadas por exatos 35 anos, assusta a sinergia do pensamento de duas das personalidades mais visionárias da história do mundo empresarial. Apesar de Levitt ter falecido em 2006, uma conversa hipotética entre os dois líderes resultaria em uma visão absolutamente contemporânea do papel das organizações e sua essência na era pós-revolução tecnológica (só lembrando que, quando Levitt construiu sua tese, não havia nem indícios do que seria a internet quanto mais de seus reflexos).

Novas organizações que se desenvolvem como plataformas de negócios aprofundam-se na visão da essência do negócio para crescerem a partir dessa perspectiva.

Foi a partir dessa reflexão que o Airbnb constatou a importância de migrar de um negócio mais transacional com o foco na economia dos valores de hospedagem para um relacionamento mais profundo com os clientes de sua plataforma.

A organização entendeu que o cliente Airbnb busca outro tipo de engajamento com as pessoas e a cultura selecionadas para sua estadia, e não apenas fazer uma economia financeira. Dessa conclusão, emerge o conceito de pertencimento em detrimento da visão mais transacional no relacionamento com os usuários da plataforma.

Para tornar tangível essa proposta de valor, a organização desenvolveu o conceito *"belong anywhere"* (algo como "pertenço a qualquer lugar"), que foi adotado em toda comunicação da empresa destinada aos públicos interno e externo.

Com isso, o Airbnb está em busca de um negócio muito maior do que o de viagens. A empresa busca prover relacionamentos e comunidade usando a tecnologia para o propósito de unir pessoas. A visão tira a empresa do grupo estratégico das tradicionais companhias do setor (hotéis, pousadas etc.) e abre novas perspectivas de negócios, como as experimentações já em curso que oferecem serviços gastronômicos em determinadas hospedagens.

Tudo teve início com uma visão clara da essência do negócio.

O Uber não entende que está no negócio de transportes. Sua visão é ser protagonista na matriz de mobilidade urbana mundial. Se algo se move, a empresa quer ter um pedaço desse mercado. Assim, o espectro de atuação da organização é muito mais estendido do que simplesmente transportar pessoas por meio de sua rede de motoristas credenciados.

Não à toa, a organização já se expandiu para negócios como delivery de serviços de alimentação, entregas rápidas e cargas (encomendas delicadas com transporte rodoviário mais longo). Também tem feito incursões em eventos rápidos com projetos como UberCHOPPER (helicóptero), UberPLANE (aeroplano) e UberBOAT (barco) e faz investimentos importantes em estudos sobre carros e caminhões autoguiados (*self-driving cars* e *trucks*).

O alcance dessa visão permite à organização realizar arranjos e alianças inimagináveis sob a perspectiva convencional. Em abril de 2017, a empresa comunicou ao mercado uma série de parcerias realizadas com empresas internacionais de aviação, dentre elas, a brasileira Embraer, para a construção de carros voadores que irão funcionar como táxis aéreos.

A diferença em relação aos atuais veículos aéreos é que o formato dos carros voadores é o de pequenos veículos elétricos que decolam e aterrissam verticalmente realizando deslocamentos urbanos curtos. Um modelo que não existe na atual matriz de transporte.

O Centro de Inovação de Negócios da tradicionalíssima Embraer está envolvido não só no desenvolvimento desses produtos inovadores, mas também no desenvolvimento de novas tecnologias e negócios que irão gerar oportunidades no futuro para seu negócio.

O planejamento é que o serviço de táxi aéreo realize seus primeiros voos em 2020, com o Uber sendo responsável pelo sistema que receberá e organizará as demandas de clientes e a Embraer pela gestão do produto. Se o Uber concebesse que seu negócio estava restrito ao transporte de passageiros pelas vias convencionais, não estaria aberto a alianças como essa.

Arranjos não usuais têm espaço nessa nova realidade dos negócios. Um dos deflagradores mais relevantes nesse processo reside no retorno à essência da organização e na abertura para entender que o tradicional e o novo devem ser concebidos de forma integrada como componentes do mesmo sistema.

É instigante observar um paradoxo que pode representar uma ameaça importante na adoção dessa nova visão do negócio. O mesmo ser humano que tende a preferir a manutenção do *status quo*, tende a destruir o legado anterior quando defrontado com um novo modelo. É como se tudo que foi construído anteriormente não tivesse validade e, a partir daquele momento, só existisse uma perspectiva correta: a nova.

São dois lados da mesma moeda: a resistência ao novo ou a adesão inconteste. O radicalismo de pensamento gera inflexibilidade, comportamento que, em um mundo de rupturas, é sentença certa para o fracasso.

Como é contumaz, a solução se encontra no equilíbrio. É necessário preservar a essência de todo aprendizado proveniente do passado com o frescor da visão orientada ao futuro. Na experiência anterior repousam aprendizados importantes que serão a base para a construção do novo.

O valor do encontro de gerações

O conflito de gerações, termo tão utilizado para definir os desacordos gerados nas discussões entre indivíduos que nasceram em épocas distintas, deve dar lugar nas organizações ao encontro de gerações, espaço onde ocorre o compartilhamento de conhecimento entre aqueles de "cabelos brancos" com os "carecas das startups" da nova geração.

É do virtuosismo desse encontro que sairão as melhores soluções para lidar com todos os desafios provenientes da 4ª Revolução Industrial. A metáfora do encontro de gerações não se aplica apenas às pessoas. Ela deve ser estendida para as empresas: existe uma oportunidade única de geração de valor ao se integrar startups de alto potencial com organizações já consolidadas.

Diversos modelos de parcerias estão sendo executados com tal propósito, como a terceirização de atividades para startups, o desenvolvimento de concursos para mapear novos empreendedores e empreendimentos relacionados com determinado segmento, a elaboração de programas de aceleração que trazem para dentro da organização novas startups que recebem todo auxílio para impulsionar seu negócio e, eventualmente, podem ser adquiridas pela empresa promotora da ação. Movimentos como esses criam valor para todos os envolvidos.

Para a organização tradicional, é a oportunidade de confrontar seu negócio, conhecer novos modelos e oportunidades e ter a possibilidade de se aliar, por meio de aquisições ou participação, a empresas que podem contribuir com sua jornada rumo a uma nova perspectiva para seu projeto.

Para as startups, é a oportunidade de explorar todo capital gerado por organizações já consolidadas. Esse capital não se expõe apenas na forma de aporte financeiro, investimento. Existem outras dimensões mais relevantes do que o dinheiro.

Uma organização tradicional detém capital intelectual proveniente de toda a experiência acumulada. As lições aprendidas permitirão que a nova organização e seus empreendedores evitem falhas recorrentes reduzindo sua curva de aprendizado rumo à consolidação de seu negócio.

Outro tipo de capital que pode ser compartilhado é o relacional. Um dos maiores desafios de uma empresa nova diz respeito ao acesso ao mercado. Como não possui histórico, sua reputação ainda está sendo construída e o processo de convencimento de novos clientes é mais desafiante. Ao se aliar a uma organização tradicional, a nova empresa tem a possibilidade de receber um endosso importante que se refletirá na abertura mais facilitada das portas de novos clientes e negócios.

Uma aliança estratégica com uma nova corporação irá gerar atalhos importantes no processo de consolidação de uma nova empresa. Por seu turno, a organização tradicional terá a oportunidade de "beber água fresca" em uma nova fonte de conhecimento e possibilidades de negócios, preparando-se para o futuro.

Iniciativas como essa fazem parte do motor de crescimento da organização e, como todas as outras ações projetadas nessa frente, devem ser planejadas de forma a estarem totalmente integradas ao negócio e seus colaboradores. Mesmo considerando a necessidade da construção de uma estrutura independente, autônoma, para liderar essa evolução, é imperativo que todos os recursos, sobretudo os humanos, estejam integrados atuando como um só corpo.

Os talentos da organização devem navegar pelos dois motores aprendendo a desenvolver e a equilibrar competências orientadas aos dois contextos: o da manutenção e o do crescimento. Dessa forma, aliarão novos conhecimentos a seu repertório atual, ao mesmo tempo que se preparam para o futuro que pode significar a destruição do negócio atual.

É essencial o incentivo à construção de uma cultura que valorize o encontro de gerações em vez do conflito de gerações, evitando armadilhas como o "nós contra eles" em que o "nós" representa o *status quo*, e o "eles", o novo. A cisão é caminho certo para a destruição de valor.

Não é mais possível que líderes empresariais sejam inflexíveis e fiquem presos a convicções forjadas em uma era distinta da atual. Quando em exagero, essa convicção se transforma em arrogância e afasta a possibilidade de abertura ao novo. Como consequência, todas as iniciativas orientadas à ruptura serão refutadas e a organização levará mais tempo na esfera política, onde executivos ocuparão suas agendas mais preocupados em salvar sua pele do que construindo as bases para o futuro do negócio.

O ponto de interseção entre os motores de crescimento 1 e 2 é a alocação de recursos. São essas escolhas que definem a verdadeira relevância da iniciativa para toda a organização. Inusitadamente, algumas empresas, com receio de retirar seus melhores talentos da linha de execução no curto prazo, tendem a alocar, para as iniciativas orientadas ao futuro, profissionais secundários. Essa definição estratégica diz muito mais do que qualquer discurso de um CEO valorizando os novos projetos da empresa. Ações dizem muito mais do que palavras.

Paradoxalmente, empresas com cultura corporativa muito forte tendem a ter mais desafios na integração com essa nova realidade. Como seu conjunto de crenças e valores foi modelado ao longo de décadas e, via de regra, seu sucesso e sua prosperidade estão baseados nesse modelo, existe uma natural resistência em se abrir ao novo e aceitar que organizações nascentes ou colaboradores de fora possam ser os responsáveis por trazer novas dimensões ao negócio atual. O risco de uma cultura corporativa forte é que ela se configure em uma cultura inflexível.

É imperativo assumir que todo processo de transformação, tão necessário e preconizado para esse novo ambiente de negócios, representa um desafio com poucos precedentes no mundo corporativo.

Muitas iniciativas podem ser promovidas para dar uma resposta a esse ambiente, porém sem a profundidade devida e requerida. É fundamental que a organização e seus líderes encarem esse ambiente com seriedade e senso de urgência.

Não existe uma visão clara a respeito da organização modelo da 4ª Revolução Industrial. No entanto, está evidente que o processo de ruptura acontece muito mais abruptamente do que o imaginado. O ponto de transição entre uma era e outra pode acontecer subitamente, como nos casos da Blockbuster ou da Kodak.

Esse ambiente requer ousadia, pensamento em longo prazo e, sobretudo, compromisso e coragem com a execução de planos que fogem ao *status quo*. Reflexões intermináveis em busca das respostas prontas devem ser abominadas na organização. O estímulo à ação fará toda diferença do mundo, pois é do agir que virão as principais lições da disrupção.

É necessário envolver e engajar toda a organização nessa perspectiva. A educação assume papel crítico, visto que se trata do processo clássico de absorção de um novo conhecimento.

A importância da educação, que de tão cantada em prosa e verso tornou-se um lugar-comum, não se estende apenas ao contexto interno da corporação. O ambiente em transformação demanda uma reflexão profunda sobre os modelos de aprendizado mais adequados a essa nova era. O modelo atual tem suas bases fincadas no pós-revolução industrial. Não é plausível acreditar que um modelo de mais de um século esteja adaptado à contemporaneidade que, justamente, se caracteriza pela consolidação de novos paradigmas.

Tão importante quanto aprender, nesse contexto, é aprender a desaprender. Estar aberto ao novo. Ter a humildade para entender que aquela máxima de Sócrates nunca esteve tão em evidência: "Só sei que nada sei".

Quais são as bases dessa nova educação no contexto empresarial? Como encarar os desafios de ensinar em um ambiente onde tudo está em aberto? Se o modelo educacional de formação de líderes não for transformado, nada se transformará.

Sobre o tema deste capítulo, conversamos com Eric Santos, que lidera uma das startups mais relevantes do ambiente empresarial brasileiro: a RD. Um dos movimentos que sempre pautou o desenvolvimento empreendedor de Eric foi a busca por mentores e parceiros que contribuíram com a evolução de seu negócio e por contribuir com visões maduras em um negócio iniciantes. Nesse *talk show* iremos explorar os principais aprendizados de Eric no processo de evolução de sua startup trazendo uma visão muito prática de todos seus desafios e as vantagens advindas do encontro de gerações. Assista ao vídeo aqui: http://promo.editoragente.com.br/gestao-do-amanha-encontro-de-geracoes.

QUESTÕES ESSENCIAIS PARA SUA REFLEXÃO ESTRATÉGICA –

1. Reflita sobre seu modelo de negócios atual. Você considera que ele está apto a lidar com o atual ambiente de negócios? Ele se assemelha mais a um modelo tradicional ou ao perfil de modelos mais inovadores? A maior orientação, atualmente, está centrada no controle de custos da operação ou no desenvolvimento de geração de demanda para o negócio?

2. Existem outras organizações em seu segmento que adotam outros modelos de negócios? Quais são as características desses projetos e os pontos fortes e fracos em relação ao seu? Faça essa reflexão considerando não apenas o setor de atuação no Brasil, mas todo contexto global. Para realizar esse exercício, pesquise referências em todo mundo.

3. Como seu modelo seria desenvolvido como uma Plataforma de Negócios? Quais seriam suas características, benefícios e riscos?

4. É possível utilizar o efeito rede em prol de seu negócio? Quais seriam as possibilidades com essa orientação? Faça um exercício de como você conseguiria desenvolver uma comunidade de clientes em torno de seu negócio e quais seriam os possíveis modelos de geração de receita.

NOVOS MODELOS DE NEGÓCIOS

5. Quais foram as últimas inovações de ruptura geradas em seu negócio? Quais foram os impactos e aprendizados gerados por essa iniciativa?

6. Como sua empresa se organiza quando implementa iniciativas orientadas a inovação? Como define as pessoas que irão participar da iniciativa, os recursos demandados e a forma de gestão da inovação? Existem outras práticas mais adequadas para serem adotadas nessa frente estratégica? Quais?

7. Sua organização adota alguma iniciativa orientada a incentivar a inovação junto a colaboradores internos? Existem novas práticas que poderiam ser adotadas nesse sentido? Quais?

8. Faça um exercício: como seria a aplicação do conceito de motor 1 e 2 para o crescimento do seu negócio? Na prática, como esse modelo se configuraria em seu projeto?

9. Qual é o seu negócio? Reflita sobre a essência do seu negócio e o valor gerado a todos os agentes pelo seu projeto.

10. Quais iniciativas você e sua organização desenvolvem para unir o conhecimento de profissionais experientes com jovens talentos? Existem práticas destinadas a compartilhar conhecimento entre todos na equipe?

Capítulo 4:
O ENSINO TRADICIONAL DE GESTÃO ESTÁ FALIDO?

Desde o chamado boom dos MBAs, que teve início nos anos 1950 e ganhou força nos anos 1980 com a ascensão da cultura do management, as escolas de negócio concentraram seus esforços em construir programas educacionais orientados ao universo corporativo seguindo a mesma lógica da metodologia pedagógica da educação formal até então existente.

A administração científica e a estabilidade dos conceitos aplicados no ambiente empresarial permitiram o desenvolvimento e a consolidação, ao longo de décadas, de um modelo clássico que atendeu e formou os principais líderes executivos em todo o mundo, sobretudo na economia norte-americana, berço dos principais programas de ensino de administração mundiais, onde estão localizadas as mais representativas instituições globais, como a Harvard Business School, principal ícone dessa era.

Os modelos educacionais são um reflexo das demandas da sociedade. Como já demonstrado, o paradigma tradicional de gestão evoluiu com mudanças graduais ao longo do último século, sem apresentar rupturas em sua conceituação. Como não podia ser diferente, as instituições de ensino de administração acompanharam esse movimento inserindo novos elementos em suas ementas e programas, porém, da mesma forma, incrementalmente, não adotando transformações radicais em sua estrutura clássica e metodológica.

No entanto, o mundo mudou.

Estudos explodem diariamente assustando a população em geral com constatações que, a princípio, parecem alarmantes, mas trazem consigo oportunidades fascinantes para aqueles que fizerem as conexões corretas.

Estudo do Fórum Econômico Mundial, publicado em 2016, aponta que até 2020 mais de um terço do conjunto de competências essenciais requeridas para a maioria das profissões relevantes será composto por competências que ainda não são consideradas fundamentais. Talvez algumas ainda nem existam ou tenham sido desenvolvidas. Estão em algum lugar adormecidas, aguardando seu momento.

O ciclo de validade das competências está mais reduzido do que nunca. A velocidade de depreciação do conhecimento é tão grande que esse mesmo estudo aponta fontes que mostram que cerca de 50% do conteúdo adquirido no 1º ano de um curso regular em uma universidade torna-se obsoleto no 4º ano.

Essa dinâmica atinge em cheio o mundo dos negócios, tendo impacto na formação dos empregos tal qual conhecemos hoje: 65% dos empregos a que a Geração Z (as crianças da atualidade) terá acesso quando adulta ainda nem existem.

Isso tudo sofre influência determinante da substituição tecnológica advinda da invasão dos robôs e da inteligência artificial.

A consultoria McKinsey publicou, também em 2016, o estudo "Onde as máquinas podem substituir os seres humanos", que apontou que até 45% das tarefas nas quais indivíduos são remunerados – em algumas situações, muito bem remunerados, a propósito – serão automatizadas com a tecnologia que já existe hoje. Isso sem considerar inovações que aparecem diariamente que, decerto, farão com que esse índice aumente de modo exponencial.

É plausível supor que, em um ambiente como esse, o sistema de ensino de administração responsável pela formação dos executivos e líderes que irão lidar com essa complexidade tenha evoluído para acompanhar a velocidade das mudanças, correto?

Nem tanto.

A mesma metáfora dos músicos tocando no convés do Titanic, já utilizada para exemplificar o estado de muitos líderes empresariais perante as mudanças do ambiente, assola os educadores de gestão e as respectivas instituições de ensino.

Há um descompasso claro entre as demandas de aprendizado requeridas no século XXI e o que é oferecido pelo sistema educacional atual, cujas bases remontam à Revolução Francesa. Só essa sentença já evidencia que alguma coisa está fora da ordem.

É premente que sejam dados passos rumo a um novo modelo de aprendizado de administração, abandonando premissas ultrapassadas que só se sustentam pelo ranço do academicismo tradicional, sem encontrar consonância com as necessidades da sociedade.

Essa emergência não se traduz em demandas para o futuro. Todo sistema educacional está posto em xeque aqui e agora. E as evidências do declínio desse movimento são intensas e profundas como essas três descobertas de nosso estudo sobre o tema.

Há um descompasso claro entre as demandas de aprendizado requeridas no século XXI e o que é oferecido pelo sistema educacional atual, cujas bases remontam à Revolução Francesa. Só essa sentença já evidencia que alguma coisa está fora da ordem.

As principais instituições de ensino de administração não estão formando os líderes corporativos da nova era.

O ensino de administração tem como principal objetivo formar gestores que atuarão como executivos ou empreendedores à frente de suas organizações. Essa é a essência do ensino dessa cátedra. Tradicionalmente, aconteceu dessa forma, e as principias corporações do mundo evoluíram nas mãos de líderes formados pelas mais proeminentes escolas de negócios globais.

Essa realidade não está mais presente nas organizações de alto impacto da nova economia.

Há dúvidas sobre essa constatação?

Selecione oito das mais representativas organizações da atualidade, consolidadas ou em evolução: Apple, Facebook, Microsoft, Uber, Amazon, Airbnb, Tesla e Youtube.

Avalie a formação acadêmica de seus fundadores e verifique quantos são formados em administração. Arrisca um palpite?

Nenhum.

Isso mesmo. Dentro do universo de oito das organizações de maior impacto da atualidade, não existe nenhum líder que se formou em administração. São engenheiros, designers, matemáticos, físicos, psicólogos, enfim, uma série de formações, menos um administrador.

Uma informação não pode passar despercebida: nesse universo, estão as cinco empresas mais valiosas do planeta na atualidade (Facebook, Google, Apple, Amazon e Microsoft).

Considerando o objetivo central do ensino de administração, não é admissível supor que essa situação seja esperada ou convencional. Indivíduos e organizações não abdicaram do investimento em educação para preparar-se perante as adversidades de uma economia em transformação. O que está acontecendo é que esses agentes estão optando por novos caminhos para atender a esse objetivo.

Caminho bem distinto do tradicional...

Instituições clássicas não têm mais o mesmo prestígio de outrora.

Estudos do Graduate Management Admission Council, organização norte-americana responsável pelo teste de aplicação GMAT, requerido nos principais MBAs do mundo, aponta que o interesse por programas dessa natureza tem declinado globalmente.

Das escolas de negócios mundiais, 53% reportam que houve queda na procura pelo clássico MBA de dois anos de duração em 2018 (base: 2018). Esse movimento de declínio mantém-se estável ao longo dos últimos anos, apontando uma consistente tendência de decréscimo gradual para o futuro.

É possível testemunhar, por meio de pesquisa informal, a dificuldade que as principais instituições de ensino no mundo tem tido para fechar suas turmas de MBAs com o número mínimo de alunos requeridos. Alguns estudiosos mais catastrofistas já sentenciam o fim dos MBAs.

Essa não é a realidade de instituições de ensino emergentes que invadem o ambiente acadêmico com novas soluções de aprendizagem. Atualmente, o Vale do Silício testemunha o vibrante surgimento de novas companhias que trazem abordagens inovadoras mais alinhadas com a realidade atual sem estarem presas ao bolor do passado.

São instituições como a Singularity University, Minerva School e Draper University, que ousam desafiar instituições centenárias com metodologias que têm sido comprovadas por milhares de alunos oriundos de todo o mundo. Hoje, o processo seletivo para ingressar na

Minerva School, por exemplo, é duas vezes mais concorrido do que o das tradicionais universidades norte-americanas, incluindo a icônica Harvard Business School. Apenas 1,85% (base: 2018) dos inscritos são admitidos na inovadora escola, fundada em 2011, que ancora sua metodologia de ensino em aulas presenciais aliadas à adoção tecnológica como facilitadora do processo de aprendizagem.

A forte demanda por essas novas opções aponta que o desejo pelo aprendizado continua latente, talvez mais forte e necessário do que nunca. O fato concreto, porém, é que as alternativas tradicionais são incompletas. Não atendem em sua plenitude o conhecimento requerido para a atualidade.

O mesmo estudo do GMAC que aponta para o declínio do interesse nos programas tradicionais comprova essa tese. Pelo segundo ano consecutivo, a maioria dos MBAs on-line aponta forte crescimento global.

O ambiente digital, que tanto impacta o ambiente corporativo, influencia decisivamente o contexto acadêmico.

Cresce a influência do ensino a distância, porém os modelos ainda não são eficientes.

Uma das principais promessas da evolução tecnológica teve como pilar a democratização da educação em todo o planeta. Afinal, com o acesso massivo à internet e a possibilidade de compartilhamento de conhecimento em uma velocidade inédita, seria possível impactar milhões de pessoas nos rincões mais isolados do mundo a um custo acessível.

O primeiro movimento nesse sentido foi digitalizar, literalmente, todos os conteúdos que, até então, eram transmitidos presencialmente. Com o avanço dessa estratégia, surgiu uma nova modalidade de ensino. Os MOOCs, *massive open on-line courses*, que, em uma tradução literal para o português, são os cursos on-line abertos massivos. Diversas plataformas surgiram com a proposta de reunir os principais programas de ensino digital do mundo, com destaque para o Coursera, fundado em 2012 por dois professores da prestigiada Universidade de Stanford e que estima-se que em 2019 possuía mais de 2,7 mil cursos e 35 milhões de alunos em todo o mundo.

Em 2019, mais de 100 milhões de alunos estudaram por meio de algum MOOC desenvolvido por cerca de 900 universidades espalhadas globalmente. Muitos desses programas foram desenvolvidos e chancelados pelas instituições de ensino mais tradicionais do planeta.

Todo esse êxito, no entanto, é parcial. Há um consenso em todas as esferas da educação e da gestão de que ainda não foi desenvolvido um ambiente digital que permita engajamento pleno do estudante com o processo de aprendizado.

Nesse sentido, a educação clássica ainda está um passo adiante.

É possível utilizar uma metáfora para entender os motivos desse desafio. Como já explorado em capítulos anteriores, o ser humano é incapaz de entender com rapidez o impacto da revolução tecnológica. Esse fenômeno está presente na adaptação dos modelos de educação mais afeitos à realidade em transformação.

Da mesma forma que as pessoas que testemunharam o aparecimento do cinema confundiram a representação da chegada do trem com a realidade, o início do desenvolvimento dos modelos educacionais teve igual dinâmica: foi adotado um repertório antigo para lidar com um fenômeno novo.

Essa dinâmica já esteve presente em outras situações de ruptura tecnológica na nossa sociedade. Na década de 1940, com a popularização dos aparelhos radiofônicos, uma linguagem se consagrou no entretenimento brasileiro: as radionovelas.

São populares as imagens de famílias reunidas defronte de um aparelho de rádio para se deliciar com narrativas produzidas, especialmente, para aquela mídia. O sucesso foi tamanho que gerou a primeira leva de artistas populares do Brasil, celebridades reconhecidas em todo o país.

Na década de 1960, com a popularização da televisão, outra linguagem ganhou força no país, trazendo uma nova dimensão para o entretenimento. Os líderes da época enxergaram o potencial dessa tecnologia e não tiveram dúvidas em adaptar a narrativa já consagrada a esse novo meio.

Foi daí que surgiram as radionovelas transmitidas na televisão. O modelo utilizado era simples: basicamente, transmitiam-se, ao vivo, atores lendo seus scripts tal qual o realizado nas rádios. O mesmo postural, o mesmo gestual, a mesma narrativa.

Utilizou-se o velho modelo no novo ambiente.

Houve êxito nesse movimento, porém nem sombra do sucesso obtido quando os líderes do setor entenderam que aquela nova tecnologia não era uma melhoria incremental da original. Tratava-se de uma ruptura com o modelo existente e apresentava uma dinâmica peculiar.

Foi dessa constatação que surgiram as telenovelas. Muitas delas retratavam uma história já explorada nas radionovelas, porém adotando uma nova linguagem que respeitasse todo o potencial e as possibilidades geradas por essa tecnologia.

O sucesso foi avassalador e o Brasil se consagrou, até os dias de hoje, como uma referência mundial na produção de telenovelas. As novelas tal qual conhecemos.

O novo no novo.

Igual situação assolou o desenvolvimento da educação on-line. O modelo inicial consistiu basicamente na digitalização dos conteúdos por meio da transmissão das aulas já existentes via web. Exatamente a mesma lógica das radionovelas.

Trata-se de um processo evolutivo natural que requer uma curva ascendente de aprendizagem para entender quais são as características dessa nova dinâmica. Não houve um cuidado maior na identificação das potencialidades desse ambiente, tampouco no desenvolvimento de soluções nativas. Tudo foi migrado, literalmente, para o mundo digital.

Como não poderia ser diferente, essa estratégia tem um potencial de desenvolvimento restrito, visto que impõe uma série de limitações ao seu desenvolvimento. O engajamento do aluno com o processo de aprendizado é o maior desafio, uma vez que sua atenção é mais dispersa que em uma sala de aula e o modelo tradicional, na web, tende a ser enfadonho ou burocrático.

Tal qual a metáfora das radionovelas, é necessário desenvolver as bases de um modelo que entregue o "novo no novo" respeitando todas as possibilidades e potencialidades dos novos ambientes e tecnologias.

Esse desafio, no entanto, transcende, especificamente, a adequação dos modelos educacionais a novas plataformas digitais.

O futuro das organizações demanda o desenvolvimento de novas competências por seus trabalhadores. Para os indivíduos, por seu turno, será requerido se prepararem para desenvolver habilidades que nem sequer conhecem.

Como resultado do encurtamento do ciclo de validade de suas competências essenciais, aquela máxima que se consolidou no final do século XX estará mais presente do que nunca para toda a sociedade: o indivíduo não pode mais parar de estudar.

A lógica tradicional de ensino na qual a pessoa se considerava "formada" após a conclusão de um curso universitário acabou.

Ninguém, nunca mais, estará "formado", e sim em processo contínuo de "formação".

A capacidade de manter sua relevância no mercado de trabalho não está relacionada com o que o indivíduo sabe e domina atualmente, e sim com o que ele aprenderá daqui por diante.

Para as instituições de ensino, é necessário colocar o aprendizado acima da educação. Joi Ito, do MIT Media Lab, um dos principais estudiosos da atualidade sobre o tema, define que aprendizado é o que o indivíduo faz por ele mesmo. Educação é algo que alguém faz por ele.

O protagonismo deve migrar das ementas, dos programas para os alunos. O centro do universo não são as escolas de negócios, e sim aqueles que aprendem.

Está claro que o processo de adaptação a esse novo mundo é confuso, tumultuado e gera muito desconforto. Por outro lado, esse é o tempo em que todos estão inseridos e no qual é possível se beneficiar do bônus da ignorância para a criação de um novo paradigma na educação.

Tal modelo educacional deve se desvencilhar das fórmulas prontas, orientadas exclusivamente ao ensino do conhecimento em curto prazo, realizado por meio de técnicas de memorização. O currículo deve inspirar o aluno despertando sua curiosidade e inquietude. O professor deve atuar como facilitador do processo de aprendizado e não como o detentor de todas as leis do universo.

A construção do novo demanda a desconstrução dos padrões atuais. Utilizando um ditado popular, não é possível jogar o bebê fora junto com a água de banho. Cabe uma reflexão profunda sobre o que não funciona no atual modelo e quais elementos devem ser inseridos para a construção de um paradigma educacional em gestão mais adaptado aos novos ventos.

As limitações do atual modelo de educação em gestão

Uma das mais aclamadas instituições de ensino dos tempos modernos é a já citada Massachusetts Institute of Technology, mais conhecida como MIT. Mobilizada por seu foco, a instituição sempre demonstrou especial preocupação com os rumos da sociedade e a influência da tecnologia. Nos anos 1980, um dos mais reconhecidos professores dessa ciência, Nicholas Negroponte, liderou a fundação do MIT Media Lab, laboratório dedicado a refletir sobre o futuro em diversas dimensões. Uma das frentes atuais que mais demanda atenção é, justamente, a educação.

Seguindo a cartilha dessa nova era, e tal qual o exemplo já citado da Netflix, o MIT está incentivando o desenvolvimento de um pensamento que pode culminar com a extinção do seu atual modelo de negócios.

A base dos estudos sobre a necessidade de construção de um novo paradigma educacional para o ensino de gestão repousa em constatações claras acerca de limitações do atual modelo.

Desde sua origem, e seguindo um método que vem da educação infantil até o ensino universitário, o modelo tradicional sempre foi concebido pela lógica de que a escola e o professor têm as respostas para todas as perguntas.

Assim, incentiva-se o aluno a encontrar respostas prontas, bem definidas e com seus territórios bem claros para qualquer questão que se coloque.

Quem ousa ter todas as respostas para as questões e desafios que se impõem atualmente no ambiente corporativo?

Não é aceitável formar indivíduos com a perspectiva de que devem ter todas as respostas, visto que a realidade com a qual serão confrontados será muito distinta da desenhada dentro das salas de aula.

Mais relevante do que ter a resposta certa nessa nova era é fazer as perguntas corretas, incentivando a reflexão crítica e a formação do pensamento. Mais do que oferecer a receita do bolo para os estudantes, é necessário estimular o raciocínio sobre como é possível preparar um bolo com os ingredientes disponíveis sem a pretensão de um resultado único. É necessário incentivar o indivíduo a correr riscos.

Esse é um efeito colateral perverso do tradicional modelo educacional. À medida que privilegia a resposta certa em detrimento de outras possibilidades, pune o risco de quem não consegue chegar ao mesmo resultado.

Se o indivíduo assume o risco de buscar um caminho distinto e não obtém a solução padrão, mesmo considerando que a jornada seja criativa ou instigante, a avaliação tende a ser negativa.

Em um ambiente caracterizado pela incerteza, pelo desconhecimento do que está por vir, onde convicções forjadas há séculos são questionadas, é necessário incentivar o risco, a ousadia para encontrar novas fórmulas e métodos.

O empreendedor mais bem-sucedido da história recente dos negócios, no Brasil, é Jorge Paulo Lemann, fundador da Ambev, que deu origem a AB InBev, maior cervejaria do mundo, e do fundo 3G, que detém em seu portfólio companhias líderes mundiais, como Kraft, Heinz e Burger King, dentre outros negócios. Lemann nos deu a honra de conceder seu testemunho sobre esta obra que está na capa da sua edição impressa.

Formado pela Harvard Business School, Lemann é um ativista da educação, tanto por meio da Fundação Lemann, que tem o foco restrito a esse tema, quanto das constantes aparições em palestras e entrevistas nos meios de comunicação.

Uma das críticas mais recorrentes que o empreendedor faz ao atual modelo educacional é, justamente, ao fato de as escolas não estimularem o risco. Uma de suas frases preferidas é "o maior risco é não tomar riscos". No limite, o método desenvolvido pelas principais escolas de negócios do mundo, incluindo aí a consagrada Harvard, é o de que quanto mais o aluno estuda, mais avesso ao risco será, visto que o paradigma atual tende a estimular o *status quo* em detrimento da aceitação das novas possibilidades.

É necessária a adoção de uma perspectiva de aprendizado mais aberta, com menos controle e rigidez. O currículo deve aceitar a inclusão de novas disciplinas construindo um mosaico muito mais rico e diversificado do que o atual, que privilegia a especialização excessiva.

Como resultado do padrão advindo da administração científica, em que a produtividade do trabalhador estava relacionada com a extrema especialização, uma vez que os parâmetros eram rígidos e inflexíveis, fez-se necessário a construção de um processo de aprendizagem que valorizasse, sobretudo, a repetição e o aprofundamento em determinada especialidade, com a ementa de um programa sendo construída por meio da união de disciplinas correlatas a uma mesma área de conhecimento.

A chave do sucesso de um negócio, sob essa ótica, estava em desenvolver uma ampla capacidade de organização para produzir bens físicos. Isso demandou o desenvolvimento de conhecimento em várias áreas especializadas: a geologia, requerida para identificar e extrair carvão e petróleo; a engenharia, para construir e operar máquinas em escala industrial; a química, para produzir com eficiência uma grande quantidade de materiais e assim por diante.

Na atual economia, é requerido um pensamento distinto. O conhecimento especializado, tradicionalmente dominado por seres humanos, vem sendo assumido por computadores. O petróleo não é mais localizado por geólogos, mas por *softwares* que analisam uma vasta quantidade de dados geológicos em busca de padrões recorrentes. Hoje, os melhores engenheiros civis não precisam calcular à mão as tensões e deformações de um novo edifício, modelos computacionais ocupam-se disso.

Em um ambiente onde as respostas não estão evidentes, é requerido navegar por áreas do conhecimento tão díspares como disciplinas da medicina e engenharia computacional. Essa lógica está presente em um dos negócios mais promissores da atualidade: as técnicas de impressão em 3D.

Uma das vertentes mais proeminentes desse negócio diz respeito à possibilidade de imprimir órgãos, próteses e outras partes do corpo humano com alta precisão e custos decrescentes. O empreendedor ou gestor que atua em um projeto com essas características não pode se especializar em uma área clássica do negócio, como a medicina. Tampouco especializar-se apenas no conhecimento tecnológico. É indispensável navegar pelas duas áreas com a mesma fluidez.

Além disso, deve estar preparado para discussões éticas a respeito da evolução da prática (filosofia), sobre a definição do modelo de negócio mais rentável para o projeto (administração) ou o desenvolvimento de parcerias com outros agentes do mercado (vendas), dentre tantas outras decisões estratégicas que não estão estabelecidas, por tratar-se de um projeto totalmente inovador que não guarda referência anterior. Não existe um benchmark estabelecido para servir como padrão a ser seguido.

As barreiras entre as cátedras devem ser derrubadas, e a tradicional segregação de disciplinas, rompida. Os alunos não devem apenas explorar a colaboração entre os temas de cada programa, mas principalmente os espaços comuns, bebendo de outras fontes e construindo raciocínio crítico. Quebrando um paradigma clássico do método acadêmico tradicional, Artes e Ciências, Humanidades e Exatas devem andar juntas.

O MIT Media Lab construiu uma visão radical sobre o tema. Preconiza que é preciso eliminar a distância entre as disciplinas, pois, na realidade, disciplinas não existem mais. Tudo faz parte de um único constructo de conhecimento e deve ser concebido como tal.

As tradicionais instituições de ensino ainda estão orientando seus conteúdos exclusivamente para o modelo de gestão de pipeline e não fizeram sua migração ao modelo exponencial. Um dos motivos da limitação tem sua raiz na constatação de que essas organizações de ensino não foram capazes de atrair pensadores e *experts* alinhados com a nova realidade.

Há trinta anos, quando iniciou suas atividades no Brasil, a HSM, empresa líder no segmento de educação executiva no país, promovia – e continua promovendo – impactantes eventos destinados aos líderes organizacionais, tendo como palestrantes os professores mais renomados das principais instituições de ensino do mundo.

Em geral, esses eventos contavam com um único especialista e tinham a duração de um dia inteiro, durante o qual o *expert* aprofundava seu conhecimento sobre determinada especialidade. Em um ambiente mais estável, esse modelo foi infalível, e a organização consolidou-se como a principal promotora do conhecimento sobre gestão global no país.

Atualmente, é cada vez mais desafiador desenvolver programações para eventos de gestão, não só pela mudança das demandas dos consumidores desses conteúdos, mas pela carência de pensadores que decodifiquem adequadamente as transformações que estão em curso.

Esse pensamento sempre teve suas origens no mundo acadêmico, no qual surgiram grandes pensadores, como Michael Porter, Rosabeth Moss Kanter, Robert Kaplan, dentre tantos brilhantes professores das mais estreladas escolas de negócios.

Hoje, os principais influenciadores do mundo corporativo são pensadores, tais como Salim Ismail, Peter Diamandis, Chris Anderson, Eric Ries, oriundos de instituições como Singularity University ou egressos do pujante mercado de startups vencedoras, de novas mídias e assim por diante.

A era dos pensadores blockbusters explodiu junto com a capacidade de formação de novos protagonistas das universidades convencionais. Fechadas em copas, essas instituições não estão sendo capazes de catalisar o novo, pois não tiveram a humildade e a atitude de se abrir para diálogos mais profundos com as organizações e os líderes que estão fazendo a diferença, na atualidade, com modelos disruptivos que não seguem a cartilha habitual.

O abismo entre a academia e as empresas deve ser implodido. É fundamental a construção de uma visão sinérgica entre todos os agentes da sociedade para a construção de um modelo próspero de educação que tenha como principal objetivo preparar as organizações e os trabalhadores para lidar com esse novo ambiente empresarial.

Investir nessa jornada é investir em uma sociedade mais inclusiva. Se o modelo de educação não acompanhar os passos da evolução, mais indivíduos continuarão à margem da sociedade, visto que não terão o preparo necessário para lidar com a complexidade do ambiente corporativo.

As universidades devem se aproximar cada vez mais das corporações, visando catalisar de forma adequada suas demandas e desenvolver conteúdos que permitam formar cidadãos aptos a lidar com essa complexidade. O distanciamento entre esses dois agentes gera uma dissonância irrecuperável no curto prazo, uma vez que não beneficia ninguém. É o perde-perde clássico.

Chama a atenção uma experiência recente, que acontece em Roosevelt Island, Nova York: a Cornell Tech, uma universidade de pós-graduação. Sua existência está no contexto de transformar a cidade em um polo de tecnologia. Para isso, toda a metodologia de ensino está baseada em conteúdos essenciais para a formação de startups aliadas à forte integração com todo o ecossistema empreendedor, formado por investidores, outros realizadores e agentes que compõem esse ambiente.

Anualmente, as quatro melhores ideias de startups recebem um prêmio de 100 mil dólares para colocar seus conceitos em prática. A projeção é de que 600 companhias sejam fundadas por ex-alunos nas próximas três décadas (desde 2014, ano da fundação da universidade, já surgiram 70 empresas desse ambiente).

A jornada dos alunos se inicia com uma matéria intitulada Startup Ideas e, a partir daí, passa por todas as etapas de criação de uma empresa até chegar ao momento da apresentação do projeto para investidores e empreendedores.

O campus da universidade está projetado para receber, além do espaço de ensino, empresas que instalarão no local seus centros de pesquisa e desenvolvimento e laboratórios de inovação.

Com esse modelo, a Cornell Tech mostra os caminhos para um modelo de aprendizado mais aderente à nova realidade da sociedade, aliando conhecimento conceitual com a prática dos negócios. Professores especialistas misturam-se com empreendedores e investidores. Jovens alunos, ambiciosos, com líderes experientes, que compartilham os aprendizados das próprias jornadas.

Mais do que um novo modelo educacional, trata-se de uma nova filosofia de aprendizado. É esse o caminho do futuro da educação.

É primordial a migração para um paradigma que reflita em um modelo de aprendizagem mais adequado ao ensino de gestão e formação dos líderes empresariais da nova era. Essa filosofia deve estar ancorada nos pilares fundamentais de tudo que já foi estudado e construído a respeito da gestão do conhecimento, à luz dos novos tempos.

Uma nova filosofia de educação para um novo mundo

Na década de 1990, forjou-se no ambiente corporativo a constatação da relevância de uma visão que havia sido elaborada no final dos anos 1940, por Peter Drucker, que já evidenciava o surgimento do trabalhador do conhecimento.

O conhecimento foi alçado à posição de destaque no ambiente empresarial como resultado do aumento de complexidade das questões críticas da gestão, movimento que já prenunciava os desafios dos tempos atuais. A empresa necessitava aprender mais rapidamente para lidar com novas questões e desafios até então inéditos em um mundo previsível e estável.

Globalmente, professores e *experts* se dedicaram a estudar essa variável nos negócios, procurando entender em profundidade como aconteciam os processos de aprendizado nas organizações, com ênfase nas descobertas de como os trabalhadores aprendiam. Foi daí que surgiu a disciplina Gestão do Conhecimento aplicada ao mundo corporativo, que tem como protagonistas *experts*, como Nonaka, Takeuchi, Thomas Stewart e Thomas Davenport (este último um dos *experts* que concederam seu *endorsement* para esta obra).

Para construir uma filosofia de aprendizado corporativo alinhada com a situação atual, é importante beber dessa fonte entendendo quais são os mecanismos de aprendizado presentes em uma corporação. Como uma empresa aprende?

Nas organizações, o conhecimento não está embutido apenas nos documentos ou em seus repositórios formais, mas, principalmente, na mente de seus colaboradores. Existem dois tipos de conhecimento dentro das empresas: o explícito e o tácito.

O conhecimento explícito é aquele formal, claro, regrado que, via de regra, está presente e pode ser comunicado por meio de manuais ou documentos de forma sistemática. É aquele saber que o indivíduo vai buscar para entender o funcionamento de uma máquina em um manual de instruções, por exemplo.

O conhecimento tácito é o adquirido por meio da experiência de cada indivíduo, difícil de ser sistematizado e formalizado em normas, regras ou padrões. Utilizando uma terminologia mais coloquial: é o conhecimento que está na cabeça das pessoas. Adotando a mesma referência da busca do conhecimento explícito, o tácito é aquele saber sobre um macete de funcionamento daquela máquina que só o especialista sabe e não consegue transmitir de forma sistemática. Não está registrado nos manuais formais.

Por sua natureza, é muito complexo sistematizar o conhecimento tácito, a despeito de todos os avanços tecnológicos, pois ele depende de aspectos cognitivos nativos do ser humano.

O constante avanço tecnológico, aliado à farta disponibilidade de acesso a informações (novamente Lei de Moore mais internet dando as cartas), torna o processo de aquisição e geração de conhecimento muito distinto do passado.

O chamado conhecimento explícito está disponível em milésimos de segundo a qualquer pessoa, em inúmeros dispositivos e plataformas. Quando não está, a alta capacidade de processamento dos sistemas tecnológicos permite que qualquer pessoa, mesmo não tendo proficiência técnica, seja capaz de transformar dados em informação com muita facilidade.

Não faz sentido ancorar todo desenvolvimento de qualquer programa educacional nesse tipo de conhecimento, visto que ele pode, autonomamente, ser acessível a qualquer indivíduo sem a necessidade de supervisão ou encaminhamento. A complexidade no processo é baixa.

É aí que reside um dos principais problemas do atual modelo educacional. Sua base está fundeada, justamente, no conhecimento de pouco valor agregado. São desenvolvidos programas de educação presenciais em que o indivíduo recebe um conteúdo que fica à disposição em seu smartphone. O resultado é o desinteresse, a desmotivação e o desprezo pelo conhecimento apresentado, além do total desalinhamento com as demandas do mercado corporativo.

Por outro lado, as dimensões da formação do conhecimento tácito são a base para o entendimento de um ambiente complexo. A capacidade de criar conexões a partir de informações é que irá gerar vantagem competitiva para as pessoas e as empresas, pois essas interpretações culminarão com a construção de uma visão sobre melhores caminhos a serem seguidos.

O modelo de compartilhar informações e não gerar conhecimento tácito fazia sentido em um contexto de pouca abundância e acesso a fontes de conhecimento. Era necessário deslocar-se para um ambiente pré-definido para acessar livros ou um especialista, que se dedicavam a repetir as informações necessárias para a formação do saber.

Atualmente, esse comportamento não faz sentido. A nova filosofia de aprendizagem deve se dedicar a preparar o aluno para pensar, refletir, desenvolver raciocínio crítico, gerar conexões com base no conhecimento explícito. É pura perda de tempo ensinar aquilo que o aluno já tem à sua disposição e pode dominar autonomamente.

Todos os programas educacionais devem se dedicar a ensinar aquilo que o indivíduo não tem acesso por si só. Veja o exemplo da Hyper Island, escola que surgiu em 1996, em Estolcomo, na Suécia, pelas mãos de três empreendedores que atuavam no setor de comunicação e publicidade e que já sentiam na pele as dificuldades de aprendizado do modelo convencional perante um mundo recém-ingresso no ambiente digital.

Libertos das tradicionais amarras do universo acadêmico e buscando um enquadramento exclusivamente dedicado às necessidades das empresas – no início, muito focado no cenário das agências de publicidade e comunicação –, foi desenvolvido um método que valorizou, sobretudo, o fortalecimento do conhecimento tácito, por meio de iniciativas orientadas à geração de conexões, tendo como base a realidade de cada participante dos programas educacionais.

Toda a base do processo de aprendizado da escola tem como eixo a visão de que indivíduos e empresas falham ou prosperam de acordo com o modo como antecipam ou se adaptam às mudanças do ambiente. As principais disrupções são, justamente, formas inovadoras de resolver problemas tradicionais. Assim, um dos principais vetores de aprendizado tem como foco o método de resolução de problemas práticos e verdadeiros, e o corpo teórico é utilizado como suporte ao processo, e não fim em si mesmo.

Como resultado dessa inovação, emergem conceitos como o *learning by doing* (aprendendo pelo fazer), *learning by failing* (aprendendo com as falhas), *self management* (incentivo à autonomia do estudante, que não tem a necessidade de se submeter a regras inflexíveis em seu processo de aprendizagem) e assim por diante.

O corpo docente da escola não é formado exclusivamente por acadêmicos, e sim por uma mescla desses com *experts* de mercados, executivos sêniores de organizações líderes de diversos setores da economia que se disponibilizam a compartilhar seu conhecimento prático com os alunos da escola, que hoje tem presença global com hubs em Nova York, Singapura, Manchester, São Paulo, dentre outros polos em todo o mundo.

Ao se libertar dos modelos acadêmicos e formais, a Hyper Island foi uma das primeiras escolas a promover uma nova filosofia de aprendizagem e, como resultado, consolidou-se como uma protagonista importante no contexto educacional corporativo.

O conhecimento teórico não é o fim, nem deve ser subjugado. Por vezes, o pensamento disruptivo traz o risco de desprezar as bases essenciais responsáveis pela formação dos fundamentos do novo modelo. Essa crença, além de equivocada, não é inteligente.

O corpo teórico é a base para um saber que utiliza o repertório e a experiência de quem aprende como catapulta para a formação de um conhecimento único, diferenciado e apto a lidar com toda a complexidade de um ambiente sem respostas prontas. Ele é um poderoso meio para gerar conexões valiosas e não um fim em si mesmo, como o modelo acadêmico tradicional lhe confina.

O aumento da produtividade dos trabalhadores, um tema tão central na pauta do desenvolvimento econômico das nações, sobretudo no Brasil, não irá acontecer apenas por meio do compartilhamento de informações com quem aprende. A nova fronteira será desbravada por quem conseguir contribuir para que esses trabalhadores realizem as conexões adequadas de acordo com as informações que têm à disposição.

As organizações de alto impacto que conquistam os melhores resultados obtêm cada vez mais desempenho com menos trabalhadores. A receita gerada pela Apple por empregado é de 2,1 milhões de dólares, contra 0,7 milhão de dólares da tradicional Procter & Gamble. Essa diferença não se explica apenas pelo maior nível de adoção tecnológica nos meios produtivos da Apple, mas também pelo fato de seus colaboradores estarem mais preparados para lidar com esse contexto, de forma a gerarem soluções mais disruptivas que as tradicionais.

O novo paradigma de educação de gestão deve preparar os alunos para construir conexões a partir de seu repertório pessoal. Esse repertório deve ser nutrido constantemente com conteúdos multidisciplinares, referências práticas e valorização da experiência individual.

Orit Gadiesh, chairman da consultoria Bain & Company, cunhou o termo "especialista-generalista" para definir os indivíduos que estudam e compreendem em profundidade princípios de diversos campos de conhecimento e aplicam os conceitos particulares mais relevantes para sua especialidade. A partir de diversas frentes do conhecimento, é construída uma lógica original que, aplicada a dado contexto, gera um saber totalmente novo que não estava presente em nenhuma fonte anterior.

Elon Musk representa muito bem esse perfil. Desde cedo, aprofundou seus estudos em áreas do conhecimento tão diversificadas quanto ciência espacial, engenharia, psicologia, inteligência artificial e energia solar. Utilizando a perspectiva clássica de aprendizado, é possível inferir que o empreendedor padece de falta de foco. Ao analisar as frentes de negócios de alto impacto que Musk fundou, tem-se uma dimensão exata do impacto desse repertório na sua trajetória. Na Tesla (produção de automóveis elétricos), são utilizados princípios dominados pela SpaceX (tecnologia aeroespacial) e pela SolarCity (energia solar), que estão influenciando no projeto da Hyperloop (trem-cápsula projetado para viajar a 1,2 mil km/h em uma cápsula gigante) e assim por diante.

A especialização faz sentido em um mundo previsível onde os principais elementos estão postos: quanto mais o indivíduo dominar determinada competência, mais irá gerar resultados, visto que o contexto não se alterará dramaticamente ao longo do tempo.

Esse mundo acabou.

Uma das formas mais relevantes na busca do desenvolvimento do novo conhecimento, mais multifacetado, líquido e informal, é o fomento às conexões pessoais. Quando um indivíduo necessita ter acesso a um conhecimento explícito, deve ser estimulado a buscar essas informações em manuais, sites, vídeos na web e todo o conjunto de repositórios formais. Por outro lado, onde reside o conhecimento tácito? Na mente das pessoas, correto? Dessa forma, para nutrir esse saber os indivíduos devem acessar outros indivíduos.

Os projetos de educação no ambiente empresarial devem promover a formação de redes de relacionamento informais e estruturadas que incentivem a conexão entre seus pares. O conhecimento compartilhado por essas conexões tem um valor inestimável.

Trata-se de um desafio sem igual para organizações tradicionais que bloqueiam o acesso de seus colaboradores às redes sociais com o objetivo de evitar perda de produtividade. Os líderes enganam-se ao imaginar que estão, com esse procedimento, evitando que seus colaboradores acessem esses ambientes. É a célebre dinâmica do dito popular "me engana que eu gosto".

Não é coibindo a utilização de plataformas digitais que será possível atacar a essência do problema da produtividade. Oferecer a oportunidade de utilização desses espaços como meios de aprendizado aplicado, por outro lado, pode ser um caminho para engajar toda a organização na mesma direção.

Visto que existe uma dinâmica de utilização das redes sociais por toda a população, especialmente no Brasil, por que não utilizar esse comportamento em prol da empresa, criando elementos atrativos de aprendizado corporativo para sua utilização, em vez de combater, inutilmente, sua adoção?

O novo tratado da educação deve se desvencilhar de velhas crenças, do que está posto, acessível e explícito, e instigar a experimentação e a curiosidade, na busca por novos caminhos. Deve desconstruir tudo o que já foi construído sem, no entanto, desprezar os fundamentos e ensinamentos essenciais que, justamente por serem essenciais, são pilares do novo. É fundamental ensinar aos alunos a aprender a desaprender, pois, para a construção do novo, é imperativo se desvencilhar de modelos ultrapassados, desagastados, dissonantes da realidade dos negócios e da dinâmica social atual.

O ato de errar deve ser concebido como parte do aprendizado e caminho natural do processo. Dessa forma, é estimulada a capacidade de superação das dificuldades, fomentando a procura por formulações de possibilidades diversas para superação das dificuldades e a busca pela "bala de prata" da resposta definitiva para dado problema.

É celebre a frase de Reid Hoffman, fundador do LinkedIn, quando afirma que: "Se você não tem vergonha da primeira versão de seu produto, é porque demorou demais para lançar". Só mesmo por meio da experimentação e da assunção do erro como processo de aprendizagem é possível estimular uma mentalidade alinhada com essa visão.

Como conceber um programa educacional infalível em um mundo onde tudo está em aberto, onde não existe produto perfeito e a própria empresa é uma versão em beta, em constante mutação?

A onipresença da tecnologia obriga todos os líderes empresariais a terem conhecimento sobre tecnologia e estarem abertos a novos conceitos e aprendizados, tais como saber como são desenvolvidos os aplicativos, como se escrevem os códigos, como funcionam as principais estruturas e plataformas tecnológicas.

Esse é o tipo de conhecimento que, imperativamente, deve estar presente nas ementas de qualquer escola de negócios e fazer parte da nova filosofia de aprendizado. No futuro, todo CEO deverá deter conhecimento sobre programação, pois essa linguagem estará tão introjetada nos negócios que aqueles que não a dominarem serão os analfabetos dos tempos modernos. É importante antecipar o futuro e construir as bases para o desenvolvimento dessa habilidade agora. Quem antes começar a jornada sairá vitorioso.

É inexorável que os protagonistas do ambiente acadêmico se curvem à necessidade de adoção de novas formas para compartilhar conhecimento. A visão tradicional, que tem suas origens na tecnologia do giz e da lousa escolar, deve dar espaço à utilização de modelos de aprendizagem que utilizem com propriedade metodologias visuais e experimentais para melhor prender a atenção dos alunos e solidificar os conceitos ensinados.

Modelos como Design Thinking, Business Model Generation, Lean Startup, que, muitas vezes, são adotados de forma secundária nos atuais programas educacionais, devem ser promovidos e ocupar lugar central no processo de ensino. O novo modelo de aprendizado deve emergir dessas novas metodologias e não adotá-las como meros penduricalhos e suporte ao processo tradicional, o que resulta em superficialidade e pouca eficiência no aprendizado.

A arquitetura do conhecimento estruturada nos programas educacionais da 4ª Revolução Industrial deve adotar toda a potencialidade conferida pelas novas mídias e a produção de conhecimento em vídeo, áudio, recursos gráficos etc.

As instituições de ensino devem adquirir conhecimento de outros segmentos para estarem aptas a construir conteúdos mais alinhados com essa realidade. Haverá uma união cada vez mais rápida de empresas de comunicação e entretenimento com organizações de educação. A nova instituição de ensino deverá atuar, sobretudo, como uma empresa de mídia.

Dado o desafio existente, é preciso equipar o professor/facilitador do processo de aprendizado com todos os elementos possíveis, para que ele tenha os recursos necessários para incentivar a reflexão e o pensamento crítico de quem aprende.

Uma nova linguagem se faz necessária para, utilizando a metáfora das radionovelas, criar o novo para o novo. A humanidade ainda está apenas tergiversando todo o potencial conferido pelo avanço tecnológico na educação. As oportunidades são imensas nesse campo e desprezá-las equivale a descobrir uma mina de ouro e não conseguir extrair suas pepitas das profundezas do solo.

Ao desenvolver as bases de um sistema educacional apto a lidar com toda a complexidade atual, as organizações irão preparar os fundamentos para a formação de novos líderes empresariais, que são o principal vetor da transformação em qualquer corporação.

Sem mudanças substanciais no sistema de pensamento dos líderes empresariais, nada muda.

Os indivíduos, por seu turno, têm a necessidade de rever o tradicional conjunto de habilidades constante no ideário convencional que trata o perfil do líder do futuro. Novas habilidades, novas competências, novos comportamentos são requeridos para o desenvolvimento dos indivíduos aptos a liderar a 4ª Revolução Industrial.

Qual é o perfil desse líder?

No link http://promo.editoragente.com.br/gestao-do-amanha-ensino-tradicional você poderá assistir a uma conversa com o Eugênio Mussak, um educador que se dedica a estudar o ambiente educacional há muito tempo. Nesse *talk show* iremos aproveitar sua experiência de educador aliada a seu profundo conhecimento do ambiente corporativo para explorarmos uma visão prática acerca dos desafios de um modelo mais adequado à nova realidade social.

QUESTÕES ESSENCIAIS PARA SUA REFLEXÃO

1. Quais são as estratégias que você adota para se manter atualizado? Quanto tempo você destina, mensalmente, para se educar e aprimorar? Quais são as fontes de conhecimento a que você recorre para aprender novos conceitos e teses?

2. Qual modelo sua companhia adota para capacitar seus colaboradores? Faça um exercício: quais seriam as possibilidades de modelos de capacitação mais efetivos em sua organização, orientados a um conhecimento prático alinhado com os desafios da sociedade em transformação?

3. Como é possível construir uma rede de relacionamentos com a participação de componentes de sua organização que permita o compartilhamento de conhecimento entre todos? Como estruturar espaços destinados a essa prática em seu negócio?

4. Como transformar os experts de seu negócio em professores oferecendo condições para que eles compartilhem seu conhecimento com outros indivíduos e construam uma rede de aprendizado informal que irá beneficiar a todos com conteúdo prático, aplicado?

5. Reflita sobre como desenvolver um modelo de educação em seu negócio orientado a resolução de problemas. Esse método terá como foco situações corriqueiras presentes no seu projeto atual que representem desafios para sua gestão. Desenvolva e teste alternativas orientadas a transformar a resposta a esses desafios em conhecimento estruturado para seu negócio.

ESTRATÉGICA – EDUCAÇÃO

6. Você conhece instituições que estão revolucionando a educação? Quais são as que continuam com modelos ultrapassados e por quê?

7. Quais são os casos de empresas mais representativos para seu negócio? Quais são as organizações e líderes que estão transformando seus projetos de forma relevante? Pesquise em quais fontes você pode obter informações e conhecimento sobre esses projetos para que você absorva esse conteúdo.

8. Qual é o seu atual nível de conhecimento a respeito de novas tecnologias e modelos de aprendizagem? Dentro de sua rotina de aprendizado, qual esforço você tem feito para absorver novos conteúdos provenientes desse ambiente de transformações e rupturas?

9. Você conhece as novas profissões que estão surgindo a cada dia? Como esse novo cenário empresarial impacta o seu negócio e sua carreira profissional?

10. Reflita sobre um modelo de capacitação individual mais alinhado com o atual contexto de transformações na sociedade. Qual seria a carga horária, as fontes de aprendizado, as práticas a serem estudadas e todo contexto de aprendizado ideal para sua atualização? Baseado nessa visão, desenvolva um plano de estudos individual com cronograma de implantação e o execute.

O ensino tradicional de gestão está falido?

O contexto atual

- MAIS DE 1/3 DAS COMPETÊNCIAS REQUERIDAS PARA A MAIORIA DAS PROFISSÕES QUE SERÃO RELEVANTES ATÉ 2020 NÃO SÃO CONSIDERADAS FUNDAMENTAIS HOJE
- 50% DO CONTEÚDO ADQUIRIDO NO 1º ANO DE UM CURSO REGULAR EM UMA UNIVERSIDADE TORNA-SE OBSOLETO NO 4º ANO
- 45% DAS TAREFAS EXECUTADAS POR SERES HUMANOS HOJE SERÃO AUTOMATIZADAS NO FUTURO

O modelo de educação atual não está preparado para essa nova era

- ORIENTADO PELA LÓGICA DAS RESPOSTAS PRONTAS
- NÃO ESTIMULA O RISCO
- CENTRADO NO CONHECIMENTO ESPECIALIZADO
- NÃO VALORIZA CONTEÚDOS MULTIDISCIPLINARES
- SEGREGAÇÃO ENTRE UNIVERSIDADE E EMPRESAS

As bases de uma nova filosofia de educação para um novo mundo

- FOCADO NA AUTONOMIA DO INDIVÍDUO
- MÉTODO DE RESOLUÇÃO DE PROBLEMAS
- CORPO DOCENTE ALIA ACADÊMICOS A EXPERTS DE MERCADO
- EMENTA FLEXÍVEL FORMA "ESPECIALISTAS-GENERALISTAS"
- ENSINA O ALUNO A APRENDER COMO DESAPRENDER
- O ATO DE ERRAR FAZ PARTE DO PROCESSO DE APRENDIZAGEM
- ESTIMULA O CONHECIMENTO SOBRE TECNOLOGIAS

Como consequência

PREPARA OS NOVOS LÍDERES EMPRESARIAIS QUE SERÃO O PRINCIPAL VETOR DE TRANSFORMAÇÃO DA SOCIEDADE

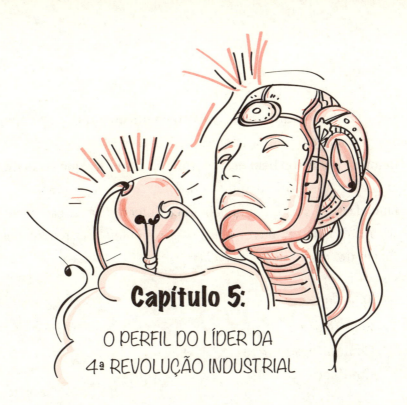

Capítulo 5:
O PERFIL DO LÍDER DA 4ª REVOLUÇÃO INDUSTRIAL

Qual é o perfil do líder apto a ser bem-sucedido nesse novo mundo? A pergunta não sai da cabeça e desafia a mente dos principais protagonistas empresariais da atualidade. O processo de transformação demanda a participação ativa dos indivíduos que dirigem suas organizações nos diversos níveis hierárquicos. Esse é o principal agente da mudança. Sem sua adesão, nada muda.

A ânsia por encontrar uma resposta, aliada ao interesse que ela desperta em toda a sociedade, motiva a publicação frequente de estudos, matérias e artigos sobre o tema.

Para aproveitar a onda, a mídia especializada em negócios é profícua em publicar listas que ambicionam desvendar essa questão. O problema é que os agentes se defrontam com a mesma dinâmica que caracteriza boa parte dos protagonistas da atualidade:

tendem a manter o *status quo* e constroem um conjunto de competências pensado para o tradicional modelo de gestão.

Sempre funcionou bem dessa forma. Nada indica que terão um desempenho satisfatório daqui por diante.

Uma dessas listas foi publicada recentemente na edição norte-americana da consagrada revista *Forbes* e apontou "Dez qualidades que fazem um ótimo líder". São elas:

1. Honestidade
2. Saber delegar
3. Comunicação
4. Confiança
5. Compromisso
6. Atitude positiva
7. Criatividade
8. Intuição
9. Capacidade de inspirar
10. Sintonia com as pessoas

Ao tomar contato com esse material, a impressão é que muito do que se publica é mais do mesmo. Muito se fala das habilidades requeridas para lidar com o mundo atual, porém pouco se explora o repertório de conhecimento requerido para lidar com um novo mundo.

Ninguém, dotado de suas faculdades normais, irá descredenciar qualquer uma das qualidades da lista da *Forbes*. É evidente que todos os elementos são relevantes e devem estar presentes no perfil de todo indivíduo que opte por ocupar uma posição de liderança.

No entanto, essas qualidades nada mais são do que pressupostos básicos. Ou seja, elementos fundamentais que devem estar presentes no perfil de um líder bem-sucedido. Não se deve subestimar sua importância, porém é necessário ir além.

A reflexão sobre os requisitos para a liderança do futuro parte desses elementos e não se esgota neles.

Diversos líderes não tiveram a visão dessa demanda estendida e, mesmo sendo reconhecidos por desenvolverem as competências básicas, não foram capazes de perceber as transformações no ambiente. Como resultado, eles não conseguiram adequar suas organizações ao ambiente. Fazem parte desse universo os já citados casos de insucesso da Kodak, Blockbuster, Microsoft, além da Sony, que não entendeu a evolução do mercado fonográfico e perdeu a onda do *streaming* de áudio, e da Motorola, que investiu mais de 5 bilhões de dólares em um sofisticado sistema de transmissão por satélites que foi um fiasco (o projeto Iridium).

Não é plausível supor que essas organizações eram lideradas por executivos despreparados ou mal-intencionados. O que houve foi um descasamento de competências.

Da mesma forma que são requeridas a adoção de novos modelos de negócios e estratégias e a criação de um novo paradigma para a educação corporativa, é demandado o desenvolvimento de novas habilidades para compor o perfil de líder de sucesso na 4ª Revolução Industrial.

Habilidades como a da lista da *Forbes* foram essenciais no mundo da gestão pipeline, do pensamento linear, características de um ambiente estável, seguro, cuja velocidade das mudanças era previsível. São incompletas, no entanto, quando confrontadas com as especificidades do ambiente atual, com a imperativa necessidade da adoção do pensamento exponencial, da reflexão sobre novas modelagens de negócios e estratégias jamais pensadas na história da gestão.

São requeridos, sobretudo, o desenvolvimento e a adoção de uma nova mentalidade para os líderes da transformação. Essa nova mentalidade é inspirada nas competências e características dos principais protagonistas da atualidade. Empreendedores e CEOs que souberam catalisar como poucos a evolução da sociedade e, como consequência, dirigem negócios bem-sucedidos, revolucionários, que têm dado as cartas hoje.

A incapacidade de desenvolver novas competências centrais tende a resultar em fracasso empresarial, mesmo quando o desenvolvimento do negócio responde a demandas claras da nova economia.

Rupert Murdoch, um dos principais empresários do setor de mídia mundial, acionista majoritário da News Corporation, segundo maior conglomerado do setor, que fica atrás da Walt Disney Company, decidiu adquirir, em 2005, por 580 milhões de dólares, o My Space, plataforma de relacionamentos que liderava o segmento na época.

Em 2011, a News Corporation reconheceu o prejuízo com o negócio, entregando-o para outro consórcio sem nenhuma contrapartida financeira.

O My Space, no seu auge, era mais relevante do que o Facebook, nos Estados Unidos. Quais foram as causas do fracasso?

Em entrevista ao periódico *Daily Telegraph*, Chris DeWolfe, cofundador da startup, afirmou que Murdoch foi o responsável pela ruína do negócio, ao administrar a empresa da mesma forma que geria seus negócios tradicionais. Com o tempo, o MySpace perdeu relevância, e a plataforma foi se enfraquecendo até desaparecer.

É razoável inferir que os líderes da organização possuíam as principais habilidades requeridas para ocuparem suas posições de comando em uma das principais empresas mundiais do setor. Essas competências, no entanto, não foram o suficiente para lidar com um negócio nativo digital.

É dessa leitura que se trata a visão sobre o perfil da nova liderança. É imperativo aliar à perspectiva tradicional uma nova visão que agregue oito novas competências e habilidades que, a partir de agora, são centrais no desenvolvimento do líder de sucesso de qualquer categoria ou segmento de negócios.

São novas competências para a liderança do futuro.

O líder como criador do futuro

Um ambiente previsível demanda um modelo de gestão que privilegie a manutenção da estabilidade, visando conquistar e, posteriormente, manter uma posição de liderança para a organização. Nessa dinâmica, o líder tende a orientar seus esforços para estratégias mais seguras, controladas, e a inovação, via de regra, é sinônimo de melhorias incrementais.

Esse mundo está em xeque.

Melhorias incrementais não irão dar conta de todas as oportunidades geradas pelas transformações da sociedade. O líder deve ser o principal articulador da busca de novas soluções em arenas até então inimagináveis. Para a adoção do pensamento exponencial, não há espaço para se aferrar a crenças e modelos velhos. Agindo dessa forma, não apenas corre-se o risco de não se aproveitar todo o potencial das oportunidades geradas, mas, principalmente, arrisca-se a própria sobrevivência do negócio.

Orientar seus esforços para o crescimento já não é uma opção para os líderes da atualidade. É mandatório.

Amedrontados pelos efeitos perversos que podem ser gerados com o gigantismo do império criado, Larry Page e Sergey Brin, fundadores do Google, têm um interesse especial por esse tema. Decididos a criar o novo futuro da organização, fundaram, sigilosamente, as bases da empresa que, com suas soluções, podem sentenciar a morte de seu negócio-mãe.

Originalmente batizado de Google X Lab e, depois, acompanhando a reorganização do grupo, renomeado simplesmente X, o laboratório "clandestino" da empresa se dedica a desenvolver projetos inimagináveis destinados a resolver os grandes problemas da humanidade.

Sua presença é cercada de sigilo, e alguns engenheiros que conheceram o projeto afirmam que ele funciona de forma tão secreta quanto a CIA, o tradicional serviço de inteligência do governo norte-americano. A discrição é tanta que muitos funcionários da empresa nem sabem de sua existência e os que sabem não tem autorização para falar sobre suas atribuições.

Cientes da necessidade de refundar as bases de seu pensamento, os líderes do Google convidaram outro cofundador, um dos maiores especialistas em robótica e inteligência artificial do planeta, para tirarem o projeto da esfera das ideias: Sebastian Thrun, o inventor do primeiro carro autodirigido do mundo, que ministra aulas de ciências da computação na Universidade de Stanford.

A equipe do laboratório conta com especialistas nas principais ciências que irão transformar o mundo. Um dos cientistas de maior destaque, por exemplo, tem como principal *expertise* a aplicação da neurociência na inteligência artificial para ensinar robôs e máquinas a operar como humanos.

Estima-se que cerca de cem projetos são desenvolvidos simultaneamente no X Lab, sendo que os mais visíveis são o Google Glass e o projeto do carro autodirigido, cujas aparições são frequentes nos testes que acontecem no campus da organização.

Para nortear o pensamento estratégico que governa todas as iniciativas do laboratório e sua ambição, seus fundadores desenvolveram o conceito moonshot. O termo tem sua origem no projeto Apollo 11, que levou o primeiro homem à Lua, em 1969. Outra referência diz respeito ao sentido literal do termo, que significa "voo à Lua" ou "disparar para a Lua".

Na sua essência, moonshot é sinônimo de desafiar o senso comum gerando soluções e alternativas para resolver grandes problemas da humanidade. A predileção recai para aqueles desafios encarados, até então, como de resolução impossível.

Um projeto ou proposta moonshot deve:

- Endereçar um problema enorme.
- Propor uma solução radical.
- Usar tecnologias disruptivas.

Não há expectativa de retornos em curto prazo para esses projetos, bem como nenhuma diligência mais rigorosa quanto à análise dos riscos envolvidos no seu desenvolvimento. A mentalidade que norteia o X guarda similaridade com a atmosfera das grandes invenções da humanidade protagonizadas por gênios que mudaram o mundo.

Essa é a ambição da Alphabet com o empreendimento.

Toda a aura de enigma e sigilo traz consigo observações e visões nem sempre favoráveis quanto aos rumos do projeto e sua efetividade. Muitos, ainda apegados ao modelo tradicional, questionam a falta de resultados práticos no curto prazo. No entanto, os líderes da organização não sinalizam que irão desistir da sua empreitada na busca pelos rumos do futuro do negócio.

O líder como criador do futuro do negócio deve se dedicar a construir os motores 1 e 2 do seu crescimento, cuidando para que as preocupações do dia a dia não interfiram nas iniciativas disruptivas orientadas ao futuro.

O laboratório do Google é um legítimo representante do motor 2 de crescimento, aquele orientado no longo prazo. Seus líderes preservam esse desenvolvimento sem colocar em risco o motor 1, representado por todas as iniciativas orientadas ao dia a dia do negócio, geradoras de caixa no curto e médio prazos.

O líder deve nutrir muita coragem, curiosidade e um inconformismo constante com o estado atual do negócio. A inquietude é uma das palavras-chave desse comportamento. É necessário, constantemente, *hackear* o sistema atual na busca pelo novo.

Importante reforçar o risco por desprezar o motor 1 de crescimento, aquele que é responsável pela geração contínua de resultados no presente. Muitas vezes, pensar no futuro, gerando iniciativas transformadoras, é muito mais tentador e glamoroso do que cuidar do caixa da companhia. No entanto, o descuido com esse equilíbrio, certamente, redundará na falta de fôlego para os investimentos requeridos para o futuro (no motor 2). Os resultados presentes são o combustível para o investimento nas perspectivas em longo prazo.

A principal motivação que justifica o desenvolvimento dessa competência pelos líderes da atualidade é a convicção de que, em um mundo em transformação, existem inúmeros problemas da humanidade a serem resolvidos. Além dos óbvios benefícios humanitários e sociais, essas soluções representam oportunidades mercadológicas imensas em uma quantidade sem igual na história da raça humana.

Existem diversos modelos e arranjos possíveis para que o líder dê forma a sua visão sobre a criação do futuro do seu projeto. No Brasil, o Itaú, em parceria com o fundo de capital de risco Redpoint eventures, desenvolveu uma iniciativa que não para de crescer, totalmente alinhada com essa estratégia: o CUBO Coworking.

Lançado em 2015, com o objetivo de ser um hub de empreendedores oferecendo espaço físico e recursos para abrigar startups e contribuir para o seu desenvolvimento, o projeto foi planejado para abrigar 53 empresas com esse perfil. Depois de pouco mais de um ano, o sucesso da iniciativa foi tão grande que seus acionistas decidiram se mudar para outro espaço e quadruplicar a capacidade de atendimento. Na nova fase do CUBO, estima-se que sejam atendidas em torno de 200 startups em suas instalações.

Ao ser mantenedor da iniciativa, o Itaú se conecta com empreendedores cujos negócios se caracterizam pela busca por soluções inovadoras utilizando a tecnologia como vetor central de seu desenvolvimento. Ao catalisar essas movimentações no CUBO, a equipe do maior banco privado brasileiro preserva sua operação central, que gera os dividendos regulares do negócio, ao mesmo tempo que estimula e acompanha a geração de novas possibilidades e oportunidades.

É possível que sejam mapeadas novas empresas que representem ameaça letal ao negócio original do banco. Melhor estar próximo dessas soluções, tendo a oportunidade de adquirir ou participar dos projetos, e sentenciar o próprio fim do que deixar que outra organização o faça.

Sem o apoio da liderança, e da alta cúpula da organização, iniciativas como essa não se sustentam, pois os resultados gerados não vêm em curto prazo. A base da crença em sua relevância repousa na visão de futuro do negócio.

Existe um traço comportamental, já valorizado anteriormente nesta obra, que não pode ser relegado ao segundo plano, visto que é a base para o pensamento disruptivo orientado a um futuro potencial ainda inexistente: o líder deve aprender a desaprender.

É natural que exista a tendência a estabelecer um sistema de pensamentos ancorado nas convicções que levaram o indivíduo a ser bem-sucedido. A certeza não foi forjada no vácuo. É resultado do sucesso e, como tal, valorizada. Nada de errado com esse modelo.

O problema é que o pensamento exponencial requer libertar-se de âncoras lastreadas em uma realidade em mutação. Do contrário, a transformação não acontece e estimula-se a melhoria incremental.

O campo dos esportes traz uma referência que contribui para a pertinência dessa reflexão.

Um dos maiores atletas da história do esporte mundial, mais especificamente do tênis, Roger Federer teve uma fase declinante nos anos recentes de sua extraordinária trajetória.

Em entrevistas à mídia especializada, o atleta comentou que começou a conceber que estar entre os dez melhores tenistas do ranking mundial já seria uma conquista importante, dadas as limitações de seu desempenho. Muito pouco para o maior vencedor de Grand Slams (categoria que reúne os quatro mais importantes torneios mundiais de tênis) da história e recordista absoluto em semanas como número um do ranking.

No tratamento de uma lesão, em 2016, no entanto, Federer ousou confrontar uma convicção antiga e decidiu aprender uma nova habilidade, um golpe que, até então, ao longo de seus mais de vinte anos de carreira e 36 de idade, não tinha desenvolvido e aplicado com tanto afinco: o backhand.

O backhand é o golpe que o tenista executa do lado contrário ao que segura sua raquete. Para um canhoto, por exemplo, o backhand fica do seu lado direito.

O resultado do novo aprendizado para o tenista foi surpreendente, até mesmo para ele.

O início de 2017 foi avassalador, com a conquista de dois torneios de Grand Slam (Austrália e Wimbledon), além de dois Masters Series (a categoria que reúne os segundos mais importantes torneios desse esporte). Na última conquista, em Wimbledon, o tenista não perdeu um set sequer durante toda a jornada, feito só atingido na história pelo lendário Björn Borg, há mais de quarenta anos. Desde 2009, Federer não tinha uma temporada tão promissora.

Para alcançar esse desempenho, foi necessário desafiar suas convicções mais enraizadas, visto que o modelo até ali utilizado sempre foi vencedor. Sem a coragem e a humildade de adotar um novo sistema de pensamentos, não seria possível modelar uma nova crença, que foi a base para conquistas desacreditadas até pelo atleta. Nem o próprio Federer tinha ciência de seu potencial.

Em um ambiente em transformação, os modelos vencedores de antes não são sinônimos de sucesso. Pelo contrário. O líder deve forçar-se a buscar novas fórmulas e métodos mais promissores para lidar com as mudanças no ambiente. Isso envolve aprender a desaprender, tendo abertura para o novo e ampliando suas fronteiras, tal qual o realizado pelos desbravadores responsáveis pelas principais invenções e descobertas da história da humanidade.

O primeiro passo dessa busca é estar aberto ao novo e se desapegar das fórmulas tradicionais. O campo de batalha primordial para o desafio é a mente do indivíduo e é dela que emerge a motivação para pensar diferente.

O líder deve reinterpretar o clássico conceito sobre modelos de crescimento. O pensamento incremental é insuficiente. As melhores oportunidades concentram-se no estímulo a romper fronteiras e refletir sobre caminhos ditos inimagináveis. A boa notícia é que o avanço tecnológico oferece condições para transformar o impossível em realidade.

Alguns confundem a visão do líder como criador do futuro com a popular perspectiva do sonhar grande. São comportamentos próximos, irmãos siameses, porém de castas distintas.

Aliás, não basta mais pensar grande. É necessário pensar bold.

Pense bold

Sonhar grande. Esse tem sido um dos mantras do ambiente corporativo, que teve como principais promotores a trinca de empreendedores da AB Inbev (original Inbev), Jorge Paulo Lemann, Marcel Telles e Beto Sicupira, influenciados por um dos maiores pensadores e consultores brasileiros de gestão, o professor Vicente Falconi.

A popularização dessa visão não foi à toa. É impossível agir com indiferença perante as inúmeras conquistas desses líderes, que não limitam sua ambição ao território nacional ou a projetos tímidos. Está aí uma turma que sonha grande mesmo e vai além: não se restringe ao sonho. Faz acontecer.

Motivados pela trajetória bem-sucedida dos empreendedores, e pegando carona no bom e velho "efeito manada", a terminologia caiu no gosto popular e raras são as palestras de gestão nas quais essa visão não aparece.

A despeito de sua importância, utilidade ou verdade, é preciso reconhecer que o conceito apresenta limites quando defrontado com a nova realidade dos negócios e a natureza das oportunidades de crescimento.

A economia tradicional sempre exigiu do líder o exercício constante de pensar grande. Inspirado pela lógica tradicional, os dirigentes de sucesso repetiam a fórmula de possuir muitas lojas, muitos pontos de vendas, fazer coisas grandes, abrir novas frentes de negócios continuamente, comprar empresas e toda a sorte de iniciativas orientadas a aumentar o poder de influência da organização por meio da posse de recursos, principal vetor de crescimento do modelo de gestão pipeline.

O sonhar grande assume, dessa forma, a conotação de crescimento indefinido da organização, privilegiando a concentração de poder por meio da propriedade exclusiva de patrimônio.

A imposição para trazer uma nova perspectiva a essa visão não só está lastreada na necessidade de um pensamento mais disruptivo, alinhado com as possibilidades de expansão da nova era, mas também na resposta às demandas cada vez mais latentes da sociedade, que colocam em risco determinados temas, como a apropriação sem critérios de recursos naturais (sustentabilidade), a extrema concentração de renda em mercados (monopólios na berlinda), os questionamentos quanto à validade dos processos de fusões e aquisições para a economia, dentre outros assuntos polêmicos que, via de regra, formam a pauta das discussões.

Ao sonhar grande deve ser integrada a visão do pensar bold.

O adjetivo bold tem diversas traduções do inglês, como ousado, arrojado, corajoso, audaz, atrevido, forte, vigoroso. Até mesmo a utilização do termo no campo da estética oferece uma percepção mais clara de seu significado. Uma letra bold é uma letra em negrito, mais destacada do que as outras.

O pensar grande está para o pensamento linear como o pensar bold está para o pensamento exponencial.

Os líderes que estão revolucionando a sociedade com seus empreendimentos transformadores adotam essa mentalidade à frente de seus negócios, os quais têm como base o alto impacto na sociedade, a disrupção com modelos vigentes e a quebra de paradigmas. Uma forma de pensar que vai muito além do crescimento linear.

O pensar bold está presente quando Elon Musk proclama que irá fabricar foguetes que colocarão o homem em Marte e, não obstante o descrédito geral, adota um modelo de gestão que desconstrói toda a tradicional lógica do setor aeroespacial, rompendo paradigmas ao assumir premissas típicas do padrão das empresas de tecnologia do Vale do Silício. Com o resultado, o empreendedor não só consegue viabilizar seu empreendimento, a SpaceX, como realiza os mais baratos projetos do setor da história, contrariando o *status quo* com a adoção de uma nova crença.

Os grandes líderes da história da humanidade tinham pensamentos ousados que se tornaram grandiosos como consequência dessa ambição. Antes do big (grande) veio o bold (ousado).

O pensar bold não se traduz apenas em uma perspectiva motivacional ou psicológica. Ele se consubstancia no nível de compreensão acerca de todas as possibilidades geradas pela tecnologia na atualidade. Só mesmo um ambiente repleto de possibilidades torna viável essa reflexão.

Trevis Kalanick é um visionário inconteste, a despeito de sua polêmica postura em outras esferas da liderança. Sua percepção acerca do futuro do Uber caracteriza o pensamento bold. O empreendedor enfatiza que a companhia não almeja ser um dos líderes da indústria automobilística. Como já citado, sua ambição principal sempre foi ser um protagonista importante na matriz de mobilidade urbana. Onde existir algo que se move, o Uber deve estar presente.

Em entrevista para uma importante revista da mídia especializada em negócios, Kalanick comentou: "O mercado automobilístico e o de transportes são setores que movimentam 5 trilhões ou 6 trilhões de dólares em nível mundial, mas honestamente não sei se isso realmente importa. O ponto está nos trilhões do mercado de mobilidade urbana".

Aliada a uma poderosa visão do alcance de seu negócio, está a convicção da possibilidade de construir um modelo altamente escalável que se beneficia da Lei de Moore e dos efeitos da rede para crescer de forma vigorosa, ousada, arrojada. Bold.

Talvez, se o empreendedor apenas pensasse grande, iria se dedicar a adquirir milhões de veículos, inaugurando desmedidamente pontos físicos em todo o mundo para conquistar o planeta com seus automóveis pretos. Ao invés disso, tornou-se uma das maiores empresas de transporte de indivíduos global sem possuir um único automóvel.

Essa mesma lógica se aplica ao destemido Musk, com a Tesla Motors. A visão sobre a necessidade de transformar a matriz de energia do planeta, principal motivação para a criação da empresa, só foi possível de se concretizar a partir da compreensão de todas as alternativas oferecidas pela tecnologia para a produção de seus inovadores carros elétricos.

Poucos percebem que a disrupção do modelo Tesla não se encontra nesses automóveis, e sim em todo sistema de produção e no seu modelo de negócios. A empresa adota tecnologia em todos os componentes de produção e processos, não terceirizou sua rede de concessionárias e desenvolveu um sistema de abastecimento elétrico para suportar o crescimento nos principais polos de desenvolvimento da marca, onde estão localizados centenas de "supercarregadores elétricos", só para citar algumas referências dessa quebra total do paradigma clássico até então seguido pela indústria automobilística.

Uma das consequências da estratégia do negócio e visão disruptiva de seu fundador é que, em 2017, o valor de mercado da Tesla superou o da General Motors. Nesse mesmo ano, a diferença de capacidade de produção entre as duas empresas foi de 10 milhões de automóveis da GM *versus* 76 mil da Tesla por ano. Em 2018, a capacidade de produção da Tesla passou a ser de 350 mil (base: 2018).

O pensar bold demanda uma mudança radical na mentalidade do líder.

A humildade constante perante a necessidade de aprender cada vez mais é uma das principais características dos indivíduos que adotam essa mentalidade. Carol Dweck, autora do livro *Mindset*, sentencia que o mundo se divide entre as pessoas que estão abertas ao aprendizado e aquelas que estão fechadas às descobertas provenientes da educação.

Para dar conta desse novo universo, a autora desenvolveu o conceito do Growth Mindset que, em contraposição ao Fixed Mindset, é a mentalidade requerida para lidar com tal mundo. O conceito guarda muita similaridade com o pensar bold.

Os estudos de Carol Dweck apontam que só as pessoas que acreditam que podem incrementar ou mudar traços de sua personalidade continuamente têm condições de desenvolver esse sistema de pensamentos.

Só mesmo nutrindo o desejo por expandir continuamente o repertório de conhecimento é possível refletir sobre as novas possibilidades e perspectivas, não mapeadas, para o negócio.

A armadilha da arrogância sempre desafia e está presente na trajetória dos líderes transformadores. Aqueles que entendem sua posição e seu papel a serviço do negócio – e não vice-versa – também entendem que, ao praticarem a egolatria, afastam do seu projeto talentos únicos que também protagonizarão a transformação.

O principal risco para o líder que se enxerga como um gênio ou um visionário e alimenta o próprio ego em detrimento do seu negócio e das pessoas é não conseguir compor e manter times em alta performance.

O líder que pensa bold entende que uma das capacitações necessárias para dar conta de sua ambição é atrair pessoas habilitadas para sonhar o mesmo sonho. Para que isso funcione de fato, é necessário suprimir sua individualidade, colocando-a à disposição da companhia e seus projetos.

A história corporativa é repleta de líderes que se perderam no meio do caminho por não entenderem em profundidade seu papel. A armadilha do sucesso, muitas vezes, é o próprio sucesso.

Pensar bold não significa endeusar-se ou construir uma figura infalível. Com o tempo, essa imagem se distanciará da realidade e não será capaz de engajar a todos com o verdadeiro propósito do negócio.

Um dos principais CEOs da história da humanidade, considerado por muitos o líder corporativo mais bem-sucedido do século XX, foi Jack Welch. Avaliando as possibilidades que a tecnologia apresentava na época, ele foi um autêntico representante do pensar bold em seu tempo. Em diversas ocasiões públicas, Welch declarou que nunca foi um gênio, pelo contrário, sempre fez questão de reconhecer suas limitações. Seu maior mérito foi estar aberto, continuamente, ao aprendizado e atrair os melhores talentos para seu negócio. Quem não reconhece seus limites não tem abertura para aprender.

As inúmeras possibilidades presentes atualmente na sociedade compõem o território onde as batalhas se desdobram. A sede desmedida de aproveitar todas as oportunidades, rompendo as barreiras do pensamento tradicional, é o combustível para a expansão. Utilizando um termo do campo da tecnologia, é necessário dar um *reboot* e reiniciar a mente dos atuais líderes com essa nova mentalidade, que não despreza as possibilidades anteriores, porém ressignifica-as, trazendo um conjunto de opções até então inexistentes.

Sonhar grande é bom. Pensar bold é transformador.

O sonho dá forma a um propósito que, com o tempo, cresce e se torna o principal elemento norteador de uma organização. Da mesma maneira que não basta sonhar grande, ter um propósito já não é o suficiente. É necessário ter um Propósito Transformador Massivo.

O Propósito Transformador Massivo

Os anos recentes viram a valorização do estabelecimento de um propósito comum como forma de engajar e alinhar todos na organização rumo a um mesmo destino. O propósito torna clara a visão da empresa e seu conjunto de valores e crenças. Assim, são atraídos colaboradores afinados com essa perspectiva, que acreditam e se identificam com a causa. Ao líder cabe, mais do que determinar adequadamente o propósito, garantir sua preservação e manutenção em toda a corporação.

A convicção sobre o valor dessa construção nas organizações disseminou-se massivamente e não existem dúvidas consistentes sobre sua validade. Com o amadurecimento do pensamento exponencial e todas as peculiaridades da 4ª Revolução Industrial, no entanto, surge a oportunidade de uma nova reflexão sobre o alcance desse conceito à luz de todas as transformações e oportunidades da nova era.

No livro *Organizações exponenciais*, os autores inserem um conceito que visa preencher a lacuna entre a visão clássica do propósito e as demandas do novo ambiente empresarial. Surge o Propósito Transformador Massivo (MTP, na sigla em inglês).

O Propósito Transformador Massivo é uma evolução do conceito original de propósito e está ancorado na visão de que a tecnologia atual permite a solução de problemas globais que impactam, de forma massiva e transformadora, um universo abrangente de indivíduos.

Salim Ismail, um dos autores e fundador da Singularity University, afirma que o MTP não é uma mera declaração de missão da organização, mas uma mudança cultural que move o ponto focal de uma equipe da política interna do negócio para seu impacto externo. Essa perspectiva está fundamentada na constatação de que, pressionados pelas suas constantes questões políticas e mecanismos de poder, as organizações e os seus líderes gastam tempo excessivo com questões internas e perdem o contato com seu mercado e clientes.

Ao líder, cabe libertar a organização e seus colaboradores dessas amarras, que geram dispersão de energia e perda de foco, e orientar a empresa para a transformação massiva, por meio de seu negócio ancorado em seu propósito essencial.

Os autores citam alguns exemplos do Propósito Transformador Massivo, formulados por empresas alinhadas com essa visão:

- "Organizar a informação do mundo." (Google)
- "Impactar positivamente um bilhão de pessoas." (Singularity University)
- "Criar ideias que merecem ser espalhadas." (TED)

A formulação de um MTP permite à empresa definir um futuro claro, que tenha forte impacto na vida de inúmeros indivíduos, e desdobrá-lo em ações estratégicas para a execução dessa visão. É aí que está a diferença essencial entre esse conceito e a definição clássica sobre o tema.

Muitos líderes, inspirados filosoficamente pelo propósito formulado para sua organização, acabaram se distanciando da visão das oportunidades geradas por uma economia que cresce exponencialmente e se descuidaram da construção de um modelo de negócios que catalisasse todas essas oportunidades e lhe prevenisse de ameaças.

Uma das dimensões pouco comentada no já citado caso da aquisição do Whole Foods pela Amazon traz boas referências sobre essa dinâmica.

Liderada pela genialidade de seu fundador, John Mackey, a empresa, fundada em 1978, tornou-se uma das redes de varejo mais badaladas dos Estados Unidos, no início do século XXI, tendo sempre um foco muito claro na comercialização de produtos orgânicos e no desenvolvimento da cadeia de pequenos fornecedores locais.

O mantra de seu fundador sempre foi provar que é possível ter um negócio ético, socialmente responsável e lucrativo. Mackey é o típico empreendedor idealista que faz questão de evangelizar todos com sua visão e crenças. Para perpetuar sua visão e ampliar seu alcance, fundou as bases do Capitalismo Consciente, que visa promover os conceitos adotados em seu negócio de valorização a todos os agentes sociais sem perder de vista a dimensão financeira do negócio. A propósito, essa visão deu origem a uma fundação e ao livro homônimo, escrito com Raj Sisodia.

Durante décadas, a empresa cresceu adotando o modelo convencional das organizações do setor: abertura de lojas nos principais mercados, levando seu conceito de negócio baseado em alimentação saudável.

A fórmula do sucesso, no entanto, começou a definhar nos últimos anos. A despeito da admiração de todos pelo negócio, sua participação no mercado norte-americano estabilizou-se em 1,21%. Em 2017, fechou mais lojas do que abriu, encerrando, apenas no primeiro quadrimestre do ano, nove operações. Nos últimos seis quadrimestres (dois anos), antes de ser vendida, teve redução constante no volume de clientes visitando suas lojas.

O que aconteceu com o negócio? Por que, apesar desse declínio, a Amazon fez o maior investimento já realizado para a aquisição de um negócio em sua história?

As respostas a essas duas questões estão associadas.

A organização adotou um modelo de crescimento típico do pensamento linear, tradicional, baseando toda sua expansão na abertura de novas lojas. Tendo como norte seu propósito, seus líderes não se deram conta da oportunidade de massificar o negócio adotando outras estratégias e modelos. Ou seja, faltou o foco no transformador massivo.

Ao concentrar excessivamente seu foco em uma única orientação, a empresa viu concorrentes tradicionais copiarem sua solução e se dedicarem a comercializar produtos orgânicos, que, como consequência, atraíram seus já tradicionais consumidores para o negócio. Assim, Walmart, Publix e outros varejistas conseguiram recuperar o tempo perdido apenas por meio do reposicionamento de seu portfólio de produtos nos pontos de vendas.

O Whole Foods incorreu em um erro muito comum das organizações que se aferram filosoficamente a seu propósito: descolou sua operação das demandas do consumidor, não entendendo seu comportamento, sobretudo digital, e o potencial de adoção tecnológica em seu negócio.

A perspectiva, por si só, justifica o interesse da Amazon pelo negócio, visto que terá a oportunidade de implantar toda sua filosofia transformadora e massiva utilizando a tecnologia como vetor de crescimento para a organização. Essa visão faz parte de sua essência.

John Mackey apegou-se ao propósito, enquanto Jeff Bezos adotou a visão do Propósito Transformador Massivo.

Essa constatação não descredita de modo algum todo o projeto vencedor realizado pelo fundador do Whole Foods. Pelo contrário. Ele só traz um ensinamento relevante sobre a necessidade da adoção de um novo sistema de pensamento para lidar com as oportunidades transformadoras da nova economia, para que não ocorra um descompasso entre as inovações e o projeto.

A base filosófica dessa transformação continua sendo a raiz essencial do negócio, suas crenças e valores. A boa notícia é que, atualmente, é possível potencializar ao extremo o alcance desse propósito, incorporando todas as possibilidades geradas pela tecnologia em um sistema de execução preciso.

Quando bem formulado e gerido, o MTP inspira a todos os colaboradores e forma uma comunidade de fãs e seguidores dentro e fora da organização. O líder, principal responsável por sua manutenção, baseará todas as suas decisões e ações estratégicas nessa visão.

Um Propósito Transformador Massivo é:

- Único.
- Inspira a todos.
- Abrangente. Não é estreito ou orientado a uma tecnologia específica.
- Destinado ao coração e à mente.
- Declarado com sinceridade e confiança.

Ao adotar essa perspectiva, o líder consegue incrementar o poder de atração e retenção de talentos, mantendo todo o time focado durante o processo de crescimento e os períodos de stress, típicos em situações como essa. Além disso, evidencia-se um dos principais benefícios já enunciados por Salim Ismail: contribui para que a organização tenha uma maior orientação externa, ao mercado e seus consumidores, em detrimento do foco excessivo nas relações e políticas internas do negócio.

Para cumprir o objetivo, é requerido que o líder integre a visão do propósito ao sistema de execução da companhia. Do contrário, corre-se o risco de estimular a uma visão eminentemente filosófica com alto potencial de atração de seguidores, porém que não se sustentará com o tempo, visto que irá provocar um descompasso com as demandas de mercado e o sistema de geração de valor da companhia ficará comprometido.

O líder é o principal protagonista dessa jornada. Não é possível que o Propósito Transformador Massivo seja uma mera decisão de negócios para ele. É necessário que o vivencie, que o inspire e que, sobretudo, esteja alinhado com sua visão de mundo.

O MTP deve ser a paixão pessoal do líder, indissociável de suas crenças. Do contrário, não será possível mobilizar todos os agentes em torno do mesmo propósito, uma vez que não haverá legitimidade no processo.

Aliar razão com emoção, equilibrando essas duas dimensões, é fator crítico de sucesso nesse processo, afinal uma das dimensões de um bom Propósito Transformador Massivo é que ele seja destinado não apenas ao cérebro das pessoas, mas, principalmente, ao coração.

Adotar essa visão não é um processo trivial. Envolve muito engajamento e riscos. Aliás, a forma como é encarado o risco é outra habilidade essencial para o líder do futuro.

É necessário sair da zona de conforto.

O líder como tomador de riscos

Ousadia não combina com aversão ao risco. Inovar, buscar novos caminhos, arriscar, pressupõe assumir riscos como parte do processo. É importante reconhecer que o tradicional modelo de gestão sempre esteve alicerçado na incansável busca pela mitigação de ameaças para a operação da organização. A busca pela estabilidade sempre foi uma constante.

O paradoxo é que, atualmente, a busca pela sustentabilidade de uma empresa envolve colocá-la em situação de risco. A revolução digital forçou muitas empresas a reconstruir e repensar as bases de seu negócio, empurrando-as para territórios, até então, desconhecidos. O que era uma escolha em uma economia estável revestiu-se de uma necessidade mandatória: o líder deve levar sua organização a ousar e, para isso, conviver com o risco do fracasso.

Não se trata, no entanto, de um salto no precipício sem que esteja montada uma rede de proteção.

Richard Branson, instigante empreendedor da nova geração, fundador do Grupo Virgin, cujos investimentos vão de música a aviação, passando pelos setores de vestuário, biocombustível e viagens aeroespaciais, já criou mais de 500 empresas. Dessas, 200 já não funcionam.

Da mesma forma como é reconhecido pela rapidez com que executa suas ideias, o empreendedor é identificado, ainda mais, pela velocidade com que encerra um negócio. Esse é o processo de experimentação constante que adota para testar suas teses, transformando-as em projetos de impacto, quando validadas.

O que pode parecer uma inconsequência traz consigo um ensinamento importante que contribui para o entendimento de como encarar o fracasso em uma economia muito mais fluida, instável. Branson entende que atenuar o risco deve estar na pauta de todo líder. Um dos seus lemas prediletos é: "Proteja-se contra as perdas". Exemplifica sua visão com a experiência de implantação da Virgin Atlantic Airways.

Mesmo sem experiência nenhuma no setor, o empreendedor resolveu se aventurar no segmento aéreo, tendo como principal lastro o forte posicionamento da marca Virgin. Branson comenta que o lance foi ousado, porém a negociação mais importante para viabilizar o projeto foi realizada com a Boeing.

Na negociação, a organização vendedora conferiu a oportunidade de a Virgin devolver o primeiro avião adquirido após doze meses, caso o negócio não evoluísse positivamente. Dessa forma, o empreendedor pôde sondar o mercado para checar se sua promessa de valor tinha aderência com os consumidores. Se sua premissa não estivesse correta e o negócio não evoluísse, não haveria riscos para o restante do grupo.

Sua visão sobre o risco se concretiza com o pensamento: "Faça lances ousados, mas certifique-se de ter uma saída, se as coisas derem errado".

Em um ambiente em mutação, serão vencedoras as companhias que continuamente redefinirem seu negócio. O líder deve construir e estimular a filosofia de que sua empresa está sempre "em beta", utilizando uma terminologia do campo da computação que define os projetos que estão em processo de validação.

Não existe mais uma organização formada. Todas estão em formação constante e contínua.

Jeff Bezos implantou essa mentalidade, desde o início, na Amazon. O empreendedor sempre abraçou o risco como parte da evolução de seu projeto, ignorando os movimentos mais óbvios e buscando imaginar os próximos passos de seu consumidor, antes mesmo de ele saber.

Como resultado dessa postura, a história da corporação é coroada por fracassos importantes, como sua malsucedida incursão no segmento de telefonia móvel com o Fire Phone.

O produto foi alardeado, como de costume, de forma estridente por Bezos, com a promessa de revolucionar o segmento. Pouco mais de um ano de seu lançamento, e a despeito da tentativa de incrementar suas vendas cobrando menos de 1 dólar por equipamento, não foram comercializadas mais do que 35 mil unidades. No terceiro trimestre de 2014, a companhia reconheceu em seu balanço um prejuízo da ordem de 170 milhões de dólares, provenientes do fracasso.

Em qualquer outra situação, o líder da empreitada seria execrado em praça pública, e as iniciativas mais arriscadas da organização, sentenciadas à morte.

Não foi exatamente o que aconteceu. As ações da companhia não sofreram nenhum revés. Pelo contrário, Wall Street continuou valorizando e acreditando no futuro da empresa.

Bezos enfatiza que quem deseja realizar apostas ousadas deve estar aberto aos experimentos. E, como são experimentos, não é possível saber, antes de sua execução, se irão funcionar ou não. Na realidade, de acordo com o empreendedor, experimentos são, por sua natureza, propensos ao fracasso, porém alguns sucessos compensam dezenas de coisas que não funcionam.

A crença de Bezos não se baseia em uma ideação utópica. Sua experiência comprova que sua tese faz sentido. Atualmente, a maior geradora de caixa da companhia é a unidade Amazon Web Services (conhecida como AWS), plataforma de serviços de computação em nuvem que reúne uma gama de possibilidades ao mercado, como serviços de armazenamento, banco de dados, sistemas de mensagem, entre inúmeras aplicações.

O serviço começou como uma pequena unidade interna, desenvolvida para atender às demandas da própria Amazon. Com o crescimento do negócio principal da organização, a companhia começou a vender seu excesso de capacidade para outras empresas e, a partir daí, identificou o potencial de crescimento do negócio.

Em 2016, somente a AWS faturou cerca de 10 bilhões de dólares, montante que representa cerca de 9% do faturamento total da empresa. O que chama a atenção é que o lucro da divisão representa 56% do lucro total da empresa. Esse capital é fundamental para a empresa continuar ousando e experimentando outras soluções para o seu negócio.

Só mesmo uma cultura que confronta o fracasso como parte do processo do aprendizado, e não como uma catástrofe, permite experiências como essa, que irão gerar inovadores modelos de negócios mais alinhados com um ambiente em constante transformação.

Sem a ousadia de seu líder, não seria possível a Amazon chegar aonde chegou.

Os conceitos de experimentação e compreensão do fracasso relacionam-se intimamente com a visão de aprendizado explorada no capítulo anterior sobre educação. As técnicas de *learning by doing* e *learning by falling* são reflexos dessa cultura de aprender na prática e pelo erro, tão necessárias no atual ambiente dos negócios.

A visão sobre a importância de formar líderes que encarem o risco como parte integrante do processo também deve ser resgatada por meio de um protagonista importante, já citado por aqui, que traz uma referência essencial em se tratando do tema: Jorge Paulo Lemann.

Como já explorado e cantado em prosa e verso, o empreendedor tem uma visão contundente a respeito da importância de assumir riscos. Esse tema é tão relevante que está no centro das críticas que faz ao sistema de educação atual, que não prepara os alunos para se arriscar – como apresentado no capítulo sobre o tema.

Essa perspectiva sempre esteve presente na bem-sucedida trajetória de Lemann e, nos últimos tempos, se tornou um mantra motivado pelas velozes mudanças pelas quais passam a sociedade e os negócios, contexto que reforça ainda mais sua tese.

A atração de talentos sempre esteve na pauta prioritária do empreendedor e de seus sócios. Em entrevista recente, Lemann afirmou que o atual foco de sua atenção e do grupo está orientado para os jovens que tomam riscos, inovam, dominam o marketing moderno, em detrimento dos que têm como principal *expertise* controle de custos, logística e outros domínios similares. Sinal dos tempos.

Curioso notar como essa preocupação, tão evidenciada por ele, acabou não sendo suficiente para blindar uma de suas empresas das mudanças do mercado de consumo.

Em 2011, o segmento de cervejas artesanais, nos Estados Unidos, representava menos de 6% do mercado total. Foi quando se iniciou uma onda que impactou em cheio o gosto do consumidor norte-americano: proliferaram as cervejarias artesanais, que trouxeram novas opções e variações para o produto, posicionando-o no mesmo status dos vinhos em termos gastronômicos.

Inicialmente, a AB Inbev identificou essa dinâmica como um movimento de nicho. A interpretação tácita é que as formigas, representadas por microcervejarias artesanais, não seriam capazes de fazer frente ao maior grupo mundial do setor.

A despeito da forte cultura de assumir riscos e ousar, instituída na empresa por meio da convicção de seus fundadores, não houve uma visão mais clara sobre a necessidade de arriscar e criar uma opção ao crescimento dos novos competidores. Embevecidos pelo doce sabor do sucesso, seus líderes não perceberam que as coisas estavam mudando.

Em 2016, o mercado de cervejas artesanais saltou dos menos de 6% do consumo total norte-americano para 12,3%, o que equivaleu a uma receita estimada de mais de 23 bilhões de dólares, com cerca de 5,3 mil novas microcervejarias competindo pelo bolo. Quando a gigante AB Inbev despertou, já era tarde demais, e, atualmente, a companhia se esforça para adquirir empresas desse perfil no mundo todo e conseguir abocanhar uma parcela do mercado que perdeu.

No final das contas, a organização está correndo atrás do prejuízo, pois já perdeu a onda do novo mercado. A recuperação será dispendiosa.

Como explicar que isso ocorra com líderes tão diligentes de uma organização tão dinâmica?

As transformações do mercado explicam muito sobre o movimento.

Uma das principais áreas de excelência da organização, e de suas congêneres, sempre foi o forte foco na execução de suas estratégias. É notável, e uma referência, a atenção da organização ao corte de custos, com metodologias que se consagraram mundialmente, como o popular "orçamento base zero", que preconiza a necessidade de desenvolver o orçamento anual da companhia sempre tendo como perspectiva que a empresa está sendo construída do zero.

O pensamento permitiu uma gestão espartana de custos, eliminando todos aqueles que não contribuem decisivamente para o sistema de criação de valor da companhia. A organização cresceu com essa cultura introjetada em todos os colaboradores e fortalecida continuamente por seus líderes.

Em um mundo estável, previsível, essa lógica é fundamental, visto que as bases do crescimento estão postas mediante a expansão do negócio por meio da concentração de produção e domínio de recursos estratégicos dos setores, como financeiros, pessoas, cadeia de distribuição, dentre outros.

Em um ambiente em transformação, como visto, a lógica não se aplica integralmente. Não que não seja necessária. Ela se transforma em pressuposto básico. Não mais do que isso.

O crescimento vertiginoso repousa na adoção do pensamento exponencial que, em vez de se dedicar à gestão dos recursos internos, se orienta para o exterior, incentivando experimentações para fomentar a inovação na cultura organizacional.

Os líderes da AB Inbev não tardaram a perceber o risco que corriam com tal mentalidade e já prepararam as bases para o estabelecimento de uma nova filosofia. Uma das principais concretizações dessa visão é a ZX Ventures, também conhecida como casinha da Ambev.

Fundada em 2015, a ZX Ventures funciona, em São Paulo, como uma incubadora de novos negócios que tenham o potencial de destruir o negócio essencial da sua controladora. São quarenta profissionais, entre empreendedores, designers e programadores, que se dedicam a entender quais serão as principais rupturas a impactar o mercado cervejeiro mundial.

Dessa reflexão já saíram projetos, no Brasil, que respeitam uma lógica de negócios não obediente ao receituário clássico da gigante do setor. Um deles é o Zé Delivery, um serviço que permite ao consumidor adquirir bebidas por intermédio de um aplicativo em seu celular, sem sair de casa.

Pode parecer um serviço trivial, porém ele esconde em sua simplicidade o potencial de transformação de uma das principais fortalezas da empresa: sua rede de distribuição.

Ao oferecer um produto diretamente ao consumidor, a companhia está diminuindo sua distância do elo mais importante da cadeia de valor do negócio, seus clientes, que, até então, sempre foram atendidos por varejistas (bares, supermercados, restaurantes etc.). A tecnologia permite que a empresa tenha acesso direto, sem intermediários, a seus consumidores.

O mais engenhoso da iniciativa concentra-se, no entanto, na logística do projeto. Não é a fabricante que realiza a entrega dos produtos. Essa parte do processo cabe à rede de distribuidores da companhia, que são responsáveis pela parte final do processo. Assim, a AB Inbev utiliza-se de uma de suas fortalezas, uma robusta cadeia de distribuição, para estreitar seu relacionamento com os clientes e não gera nenhum ruído com esses agentes, que são fundamentais para seu negócio essencial.

O projeto ainda está em fase inicial, porém os primeiros resultados são promissores. Se o negócio se consolidar, o Zé Delivery poderá vender não apenas produtos da AB Inbev. Quem sabe até cervejas de outras marcas estarão à disposição do consumidor. Esse é o típico pensamento disruptivo em uma mentalidade que sempre se caracterizou por uma aguerrida competição com os produtos concorrentes de suas marcas.

Ao assumir o risco de lançar um projeto com essas características, os líderes da maior empresa do setor almejam aprender uma nova forma de fazer negócios que pode sentenciar o fim do modelo convencional adotado pela organização secularmente.

Além disso, calejados pelos riscos do passado recente, buscam implementar, gradativamente, um elemento inédito em sua cultura, preparando a empresa e seus colaboradores para uma nova realidade dos negócios.

Aliás, essa é mais uma referência da estratégia de criação do motor 2 de crescimento do negócio, sem destruir o motor 1 responsável pelos resultados em curto prazo. Os líderes da organização buscam uma nova fórmula para o seu crescimento, nem que para isso seja necessário destruir seu negócio original.

A maturidade para essa decisão é proveniente de toda a experiência do grupo e de todas as lições aprendidas ao longo de sua história. Assumindo o conselho de Richard Branson, a tomada de risco vem acompanhada de estratégias para mitigar o fracasso, não deixando que ele contamine toda a organização. É o encontro da nova mentalidade com a experiência. É o encontro de gerações.

Cabe ao líder fomentar essa cultura, ao mesmo tempo que desenvolve estratégias para minimizar os danos causados pelos fracassos que, certamente, virão. Enquanto estimula o novo, o líder se dedica à construção da rede de segurança que irá oferecer as bases para inovações e assim por diante, criando um verdadeiro ciclo virtuoso na companhia.

Para que se mantenham competitivas, as organizações devem estar na fronteira da inovação em todas as formas. Isso significa aliar ao tradicional foco em ações orientadas à gestão dos recursos internos novas iniciativas estratégicas que tenham como meta desenvolver modos inovadores de se relacionar com os clientes e gerenciar o negócio.

Essa postura não é mais desejável. É imperativo que o líder a adote e estimule sua companhia rumo à nova mentalidade. Ao não correr o risco dessa transformação, acorrentando-se ao velho modo de fazer as coisas, o indivíduo toma o maior risco para si: o perigo do fracasso determinante do seu negócio e, como consequência, da falência de seu papel como líder.

Paradoxalmente, essa é uma boa justificativa para uma nova postura perante o fracasso: não fracassar.

Não se trata apenas de um traço comportamental. O líder deve preparar-se para entender todas as dimensões e possibilidades advindas da tecnologia e suas derivações. Para tal, é necessário conhecer os novos modelos, teorias e conceitos que governam esse novo mundo.

O líder como entendedor da Lei de Moore, plataformas e novas tecnologias

Para ser bem-sucedido no complexo mundo contemporâneo, não basta que o líder apenas desenvolva uma mentalidade positiva perante o novo. Não se trata, simplesmente, de entender filosoficamente as mudanças de hoje para o futuro. É requerida muita transpiração na aquisição de um repertório pessoal com conteúdos mais alinhados com as necessidades da 4ª Revolução Industrial.

O líder deve associar aquilo que tem domínio, o já sabido, com a exploração do desconhecido, dominando novas ferramentas e modelos em seu acervo de conhecimento.

Como não poderia ser diferente, a tecnologia ocupa lugar central no desenvolvimento dessas competências. A diferença para o modelo convencional de aquisição de conhecimento é que se, por um lado, é fundamental pesquisar, ler e estudar sobre as tendências que estão governando o mundo, por outro lado, mais importante do que isso, é necessário experimentar, colocar a mão na massa, para entender em profundidade as implicações de cada adoção tecnológica e se familiarizar com essa nova perspectiva.

Como já explorado no capítulo anterior sobre educação, em um futuro muito breve, todos os líderes deverão ter conhecimento de programação, visto que a tecnologia é cada vez mais onipresente e a base das construções de aplicativos e sistemas são os códigos de programação.

Na economia tradicional, esse conjunto de conteúdos era domínio exclusivo das áreas de TI e, em algumas situações, de engenharia. Isso mudou, e mudará com cada vez mais intensidade. É mandatório que todos os líderes corporativos, independentemente de sua área de atuação, tenham familiaridade com a tecnologia, suas implicações e potencialidade.

Um conceito que emergiu, nos últimos tempos, proveniente da relação homem/tecnologia foi o dos sistemas híbridos, que considera que, no futuro, seres humanos e sistemas computacionais estarão integrados e atuarão de forma síncrona no desenvolvimento de atividades e no processamento de informações. Essa perspectiva traz uma dimensão mais humana para a temida substituição tecnológica de homens por robôs. A visão permite uma reflexão que altera a lógica do descarte para a da integração.

Mais um motivo para dominar o conhecimento a respeito de novas tecnologias.

Como selecionar, na miríade, quase infinita, de conteúdos que surgem diariamente sobre o tema "nova onda", aqueles que são essenciais?

É necessário retornar ao básico e resgatar aquilo que é essencial. A Lei de Moore é um exemplo claro do mandatório retorno às bases em busca do que é determinante.

Não é aceitável que um líder não a conheça, tampouco ignore sua dinâmica e implicações, visto que os principais movimentos de transformação na sociedade têm como propulsor seus efeitos.

A perigosa falta massiva de conhecimento a respeito dessa tese se manifesta em testes informais realizados em agrupamentos de executivos de alto escalão, como palestras ou seminários. Via de regra, é possível constatar informalmente que, de um universo de trezentos a quatrocentos participantes em um evento, ao serem arguidos sobre quem conhece a Lei de Moore, pouco mais de uma dezena de mãos são levantadas. Essa ignorância, certamente, será fatal para o futuro dos líderes que não se derem conta da necessidade de cobrir tal lacuna em seu repertório em tempo hábil.

Vale a pena, mais uma vez, resgatar essa visão, já tão explorada nesta obra (não à toa). Gordon Moore, em 1965, quando fundou a Intel e inventou o processador, preconizou que todo sistema computacional (qualquer equipamento que tem um chip) iria dobrar sua performance a cada dezoito meses, mantendo seu custo graças à evolução de processamento dos novos circuitos.

Em 1975, Moore revisou a previsão, aumentando para dois anos o efeito de melhoria da performance em 100%. A despeito da precisão do tempo de incremento no desempenho dos sistemas, a influência da tese é decisiva para o avanço da sociedade e, sobretudo, para a revolução digital.

Nenhuma tecnologia teve tanto impacto na história da humanidade, e a sentença de Moore comprovou-se na prática. Os processadores atuais têm 100 mil vezes mais performance, são 90 mil vezes mais eficientes e 6 mil vezes mais baratos do que aquele que desenvolveu em 1965.

O impacto dessa invenção para a sociedade e suas consequências foram dramáticos e só se atingiram o estágio tecnológico atual por causa de tal desenvolvimento. Por mais que sejam claros quando evidenciados, seus efeitos não são tão visíveis para alguns líderes, que, por não os entenderem, sofrem reveses irrecuperáveis.

No livro *Organizações exponenciais* (olha ele aí, de novo), os autores contam uma saga corporativa que ilustra muito bem o desafio e os riscos de não interpretar adequadamente o movimento.

No final da década de 1980, já estava clara a relevância da telefonia móvel para a sociedade e, mais especificamente, para os negócios. Surgiram grandes conglomerados e organizações para explorar esse mercado e uma das empresas de destaque foi a norte-americana Motorola.

Fundada em 1928, inicialmente a empresa se dedicou a fabricar baterias portáteis, rádios e outros equipamentos de áudio. Como evolução natural de seu negócio de radiofrequência, a empresa iniciou estudos para o desenvolvimento de equipamentos de transmissão de voz e, em 1973, lançou o que ficou conhecido como o primeiro aparelho celular da história da humanidade.

Já na década de 1980, vislumbrou as oportunidades advindas desse mercado, porém a expansão do negócio esbarrava em um obstáculo que limitava o crescimento de todas as empresas do setor: ainda não havia uma solução de telefonia móvel adequada longe dos grandes centros urbanos.

A ampliação da rede de telefonia móvel era muito dispendiosa, e, por esse motivo, as organizações do setor privilegiavam a atuação nos principais adensamentos populacionais, abrindo mão de um mercado enorme, ainda mais em um país com as dimensões geográficas dos Estados Unidos.

Dessa reflexão estratégica surgiu a Iridium, uma nova organização criada pela Motorola para se dedicar a implantar uma solução para resolver o problema da cobertura. A saída encontrada foi desenvolver um projeto que contemplava o lançamento de 77 satélites que cobririam todo o planeta, prestando serviço de telefonia móvel a todo o globo terrestre a um preço único.

Em seu plano de negócios, a empresa concluiu que, apesar do alto investimento inicial na construção da infraestrutura grandiosa, o projeto seria altamente rentável se "apenas" um milhão de pessoas pagassem 3 mil dólares por telefone via satélite, além de uma taxa de uso de 5 dólares por minuto.

As premissas podem parecer muito distantes da realidade atual, porém foram baseadas em estudos realizados em profundidade durante doze anos antes do lançamento do projeto. Aliás, a Motorola não estava sozinha nessa aposta. Concorrentes importantes, como Odyssey e Globalstar, também embarcaram na onda.

O resultado já é sabido. O projeto foi um fracasso retumbante. A Iridium gerou um rombo de 5 bilhões de dólares para os investidores. Estima-se que, no total, considerando todas as empresas que cometeram o mesmo erro, a perda foi da ordem de 10 bilhões de dólares.

A Lei de Moore é implacável e mostrou suas garras nessa jornada. Enquanto a empresa lançava seus satélites, que demandavam altos investimentos, o custo de instalação de torres de telefonia celular decrescia, a velocidade da rede aumentava, e os aparelhos diminuíam em tamanho e preço. A combinação do aumento de performance com diminuição de custos resultou em um impacto letal para o plano de negócios da Iridium, que contemplava um preço de mercado tão distante quanto os satélites em órbita da companhia.

Os líderes da organização ignoraram os efeitos da lei ao não ter a clara visão da velocidade das mudanças tecnológicas em relação às demandas de mercado. A definição de um modelo de negócios que tinha como premissa uma realidade de doze anos antes do lançamento do projeto em um ambiente de transformações velozes mostra a mentalidade vigente dos dirigentes da época.

Houve um descompasso que foi fatal e teve impacto determinante no negócio essencial da Motorola, que, ao longo dos anos, perdeu sua relevância e liderança de mercado, visto que boa parte de seus recursos financeiros e humanos foram drenados para essa iniciativa malsucedida.

A empresa que inventou o telefone celular com o tempo ficou irrelevante e nunca mais foi sombra do que um dia representou.

Essa experiência é tão emblemática que os professores da Singularity University cunharam o termo "momento Iridium", que se caracteriza quando são utilizadas ferramentas lineares e tendências do passado para prever o futuro em aceleração.

Combinação explosiva.

Os líderes da Motorola não foram os únicos a sofrer com a ignorância dessa dinâmica. Por alguma razão, empresas emblemáticas, como as já citadas Kodak, Sony, Blockbuster e tantas outras, ignoraram os efeitos da Lei de Moore e tiveram seus negócios destruídos ou perderam relevância de mercado.

Com a onipresença da tecnologia, os impactos desse movimento atingem a sociedade, os setores e os negócios. Raros são os sistemas atuais que não têm tecnologia embarcada. Existe uma integração perfeita da computação dentro da vida de qualquer indivíduo, o que demanda treinar os olhos de todo líder para reconhecer os efeitos de sua evolução e a influência no projeto que conduz.

O pensamento exponencial é fruto da Lei de Moore, e os efeitos da economia em rede potencializam seu alcance. Se esse contexto traz oportunidades incríveis para o líder, é importante estar claro que ele envolve, na mesma proporção, riscos expressivos.

Até alguns anos atrás, uma empresa levava décadas para sucumbir. Hoje, o mesmo processo leva anos, e um empreendimento promissor ou até líder incontestе pode ser disruptado por um novo modelo de negócio em um piscar de olhos.

O conhecimento da Lei de Moore é uma pré-condição para o líder, porém não é a única. É imperativo dominar novos modelos de negócios, como as plataformas, conceito já explorado em profundidade em capítulo anterior.

Resgatando sua matriz básica: poucas modelagens de negócios têm tido tanto impacto no mundo corporativo quanto as plataformas. O poder de transformação das organizações que adotaram esse modelo causou um estrago enorme em muito pouco tempo.

Em contraposição ao modelo de gestão tradicional que tem como fundamento a posse de recursos, as plataformas de negócios unem produtores e consumidores em um único ambiente, criando e capturando valor por meio das interações geradas entres seus participantes. As empresas mais emblemáticas dessa categoria são Amazon, Google, Apple, Uber, Airbnb, dentre tantas outras que emergem e disruptam setores inteiros da economia diariamente.

A obra citada, que conta a malsucedida história da Iridium, apresenta outra referência muito rica para entender o risco de não perceber a evolução dos modelos de negócios na nova era. Coincidentemente, ou não, é uma jornada que aconteceu no mesmo segmento: telecomunicações.

Uma das empresas que melhor soube catalisar a evolução do setor de telefonia celular foi a finlandesa Nokia. Em 2007, a empresa era líder incontestе do segmento, com uma participação de mercado global da ordem de expressivos 40%. A cada dez celulares vendidos no mundo, quatro eram da marca.

Foi nesse período, mais especificamente em janeiro de 2007, que Steve Jobs deu uma de suas cartadas mais certeiras com o estrondoso anúncio do iPhone.

Pressionados por uma reação rápida perante a nova ameaça, os líderes da empresa finlandesa não demoraram a agir e, apenas dois meses após a apresentação do novo projeto da Apple, realizaram o maior investimento de sua história: foram 8,1 bilhões de dólares para adquirir a Navteq, empresa de navegação e mapeamento.

A Nokia teve a correta visão a respeito da ascensão da demanda pelo mapeamento via geolocalização por parte do público e, por esse motivo, decidiu adquirir a empresa que dominava a indústria de sensores de tráfego no mundo.

A leitura da tendência do comportamento do consumidor foi assertiva. A solução desenhada, no entanto...

Os sensores da Navteq cobriam mais de 400 mil quilômetros de distância, espalhados em 35 grandes cidades na Europa. A empresa quase monopolizava a indústria de sensores de tráfego no mundo.

Além da preocupação com o lançamento da Apple, a estratégia da Nokia era se defender do Google, que, cada vez mais, ocupava uma posição de destaque na gestão de dados em tempo real. Faria isso dominando uma nova tecnologia que tinha o potencial de ser embarcada em seus produtos, criando diferenciais claros em relação às opções da concorrência.

O que seus líderes não previam, no entanto, é que, nessa época, em Israel, nascia uma pequena empresa chamada Waze, cujos empreendedores tinham a mesma visão acerca das oportunidades advindas da geolocalização, porém com uma perspectiva de solução frontalmente diversa.

Em vez de realizar pesados investimentos em *hardware* e infraestrutura, os fundadores da startup israelense anteviram as oportunidades provenientes da construção de uma rede de conexões entre indivíduos em uma plataforma própria e apostaram na utilização dos sensores dos GPSs já instalados nos celulares dos usuários para captar informação do trânsito – os empreendedores entenderam a essência da visão de Jobs sobre a potencialidade de funções dos smartphones.

O resultado foi impressionante. Em dois anos, o número de fontes de dados de tráfego do Waze já se igualava ao volume de sensores da Navteq. Em quatro anos, esse número era dez vezes maior.

Mais expressivo do que isso foi o resultado do efeito rede no negócio. Enquanto a Navteq gastava uma fortuna para atualizar seu sistema, o Waze não dispendia um único centavo, já que tudo era realizado autonomamente pelo próprio usuário e pelas atualizações automáticas de seus celulares.

Os líderes da Nokia fizeram um movimento ousado para superar os concorrentes, porém sua visão estava fundamentada em um pensamento velho, linear, visto que ancorou toda a sua estratégia na construção de barreiras de entrada baseadas na propriedade física, no caso, na posse da infraestrutura dos sensores de tráfego.

Fracassaram ao negligenciar as possibilidades da adoção de modelos, como o das plataformas de negócios, mais alinhados com a evolução da tecnologia e com o comportamento dos consumidores contemporâneos.

Também vacilaram ao não entender o impacto da Lei de Moore no desenvolvimento dos equipamentos celulares, que, com preços decrescentes, aumentaram sua performance tremendamente, tornando desnecessária a utilização de sensores externos para o desenvolvimento da tarefa de geolocalização. A Navteq foi disruptada.

Em junho de 2012, o valor de mercado da Nokia declinou de 140 bilhões para 8,2 bilhões de dólares. Ironicamente, praticamente o montante que gastou para adquirir a Navteq.

A maior empresa de telefonia móvel do mundo não só perdeu a liderança, como sua relevância no mercado. Fatidicamente, esse passo em falso custou todo seu negócio.

Em junho de 2013, o Google adquiriu o Waze por 1,1 bilhão de dólares. Uma empresa sem *hardware*, infraestrutura e menos de cem colaboradores. Suas propriedades físicas eram inexpressivas. No entanto, possuía uma plataforma com 50 milhões de usuários. Mais precisamente, 50 milhões de sensores de tráfego humanos, o dobro em relação há um ano.

Ainda em 2013, a Microsoft adquiriu o portfólio de patentes dos negócios de aparelhos de telefonia celular da combalida Nokia por 7,2 bilhões, ou seja, cerca de 1 bilhão de dólares a menos do que a empresa havia pagado pela Navteq.

Ironicamente, a maior empresa do mundo à época incorreu no mesmo erro da Nokia: adotou o pensamento tradicional para lidar com um desafio do negócio, negligenciando alternativas estratégicas mais afinadas com a atualidade. Adquirir uma empresa estabelecida para dominar sua cadeia de valor mirando basicamente a posse de seus recursos está no topo do receituário de gestão clássico.

Resultado: em 2016, a Microsoft encerrou suas atividades na área de telefonia celular para o consumidor final e realizou a baixa contábil de 7,5 bilhões de dólares provenientes do investimento realizado para a aquisição das patentes da Nokia.

A Microsoft também fracassou nessa investida.

Importante notar que a pulverização de um negócio como o da Nokia, que chegou a valer 140 bilhões de dólares e dominar 40% de um mercado gigantesco, aconteceu em um período de menos de dez anos. Intervalo muito pequeno para uma destruição de valor dessa magnitude.

Enquanto isso, em igual período, o Waze não parou de crescer. Em 2019 estima-se que já chegam a mais de 115 milhões seus usuários presentes em 185 países de todo o mundo. Hegemônica em seu negócio essencial, a empresa testa novas abordagens mercadológicas e prepara-se para concorrer com o Uber ao iniciar o projeto piloto Waze Carpool, aplicativo de caronas, além de realizar parcerias estratégicas, como a integração com Spotify, que visa disruptar o clássico modelo de emissoras de rádio no dial dos automóveis. A plataforma de negócios permite uma escalada de expansão expressiva com um baixo investimento.

Basicamente, a diferença estratégica entre as duas organizações foi que uma fundamentou seu plano no modelo convencional, por meio da posse de recursos, enquanto a vencedora optou por se beneficiar do efeito rede, estruturando uma vibrante plataforma de usuários que colabora autonomamente para o desenvolvimento do próprio produto. O Waze apostou na velocidade exponencial com que a informação pode ser acrescida – e compartilhada – em uma rede.

As principais referências da transformação digital envolvem a gestão de informações em larga escala, só permitida em função da alta capacidade de processamento de informações possibilitada pelos atuais sistemas tecnológicos. Dessa constatação emerge outra convicção acerca de uma competência indispensável a ser dominada pelos líderes da nova era.

É necessário estar familiarizado com a inteligência artificial (ou AI, sigla em inglês). As aplicações nesse campo estão mais presentes na vida cotidiana do que se imagina. Ela se apresenta no reconhecimento de fotos do Facebook, nos assistentes pessoais de áudio, como o Siri da Apple, no modelo de recomendação de livros da Amazon e até em uma simples busca no Google.

A tendência é que ainda mais estratégias, produtos e serviços sofram impacto determinante da inteligência artificial, que utiliza alta capacidade de processamento de dados para emular habilidades humanas e tomar as melhores decisões diante de qualquer tipo de problema.

O líder não pode ficar à margem de um conhecimento tão essencial para o futuro dos seus negócios – e da humanidade. É imperativo que se prepare para entender as bases e o potencial gerados pela AI em seu negócio com um olhar para o futuro.

A inteligência artificial será cada vez mais aplicada à tecnologia de gestão, com o desenvolvimento de algoritmos que ofereçam análises preditivas de negócio e diversas alternativas para auxiliar o processo decisório em questões críticas.

Em um futuro bem breve, não dominar o conhecimento sobre inteligência artificial irá equivaler ao analfabetismo das gerações anteriores. Será uma desvantagem competitiva, inconciliável com a probabilidade de êxito nos negócios. Tomar decisões estratégicas sem o auxílio de máquinas, recorrendo, exclusivamente, à intuição, não será uma alternativa viável ao líder de sucesso.

Quem não dominar esse conhecimento ficará para trás. E, da mesma forma que observado no caso da rápida bancarrota das empresas, os ciclos de obsolescência estão ficando ainda mais curtos. Vale para as empresas, mas também, e sobretudo, para as pessoas.

Em recente palestra no Singularity University Global Summit, evento que cresce em sua relevância global, promovido pela universidade do Vale do Silício, Salim Ismail afirmou que as empresas desse novo mundo terão de se desenvolver como *softwares*, que se atualizam constantemente. Toda organização, não importando sua maturidade, está em beta e cabe a seus dirigentes a missão de liderar essa evolução, sob o risco de, ao não cumprirem seu papel, ficarem ultrapassados.

Da mesma forma que tudo está em aberto, é necessário que o indivíduo esteja acessível a novas tendências, que podem alterar substancialmente negócios e setores inteiros da economia. Uma referência importante nesse sentido é o blockchain.

Na esteira do surgimento e da valorização do bitcoin, poucas pessoas perceberam o que está por trás – literalmente – desse fenômeno e que o torna possível. O blockchain é a infraestrutura que suporta o bitcoin. Trata-se da rede de bases de dados e registros distribuídos em milhões de computadores espalhados globalmente, em que a autenticação das informações acontece de forma descentralizada, por meio de agentes distribuídos em todo o mundo. Por esse motivo, também é conhecido como protocolo de confiança, visto que garante a autenticidade das informações. No caso dos bitcoins, é o sistema que certifica a posse e o intercâmbio das moedas virtuais entre quem as transaciona. Sem o blockchain, não há bitcoin, ou qualquer criptomoeda.

Seu uso, no entanto, vai além das moedas virtuais. Ao descentralizar todo o processo de autenticação, a tecnologia pode representar uma ruptura importante em todos os negócios que envolvem um intermediário certificador de qualquer informação. Nesse sentido, sua influência mais óbvia está nos cartórios, instituição tradicional no Brasil burocrático, passando também pelas áreas financeiras ou de patentes, além de depositários de informações críticas, como agentes de saúde e assim por diante.

Como se trata de uma nova tecnologia, não é plausível inferir sobre seu futuro e ter a convicção de que será um novo sistema que se consolidará na economia. Por outro lado, ignorar seu impacto, não estudando em profundidade suas características e potencialidade, pode ser a sentença de morte de uma organização e seus líderes.

Alta capacidade de absorver novos conhecimentos acerca desse novo mundo não é uma opção para o líder. É uma obrigação. A velocidade das mudanças é feroz e não acompanhá-la equivale a dizer adeus ao disputado espaço destinado àqueles que liderarão a transformação. Não basta, no entanto, estudar. É necessário colocar em prática todo esse conhecimento experimentando e validando novas teses.

As possibilidades geradas pela tecnologia são infindáveis e crescem de modo exponencial, diariamente. Uma das mais vibrantes diz respeito a como ser possível aprofundar o conhecimento sobre um dos elos mais importantes da cadeia de valor de qualquer organização: os clientes.

Foco no cliente, cliente, cliente...

Não é nenhuma novidade destacar a importância para qualquer organização de colocar o foco no cliente. Por outro lado, da mesma forma, também não é novidade reconhecer que todas as estratégias do modelo de gestão tradicional sempre visaram à conquista de um poder de barganha maior pela empresa em relação a seus consumidores. Essa, inclusive, é uma das dimensões mais importantes do clássico modelo das forças competitivas de Michael Porter.

Sempre houve o discurso politicamente correto sobre a importância do cliente para os negócios. Discursos e motes clássicos caíram no gosto da massa e se popularizaram, como aquela visão tipicamente norte-americana a respeito das principais regras do negócio, que dizia o seguinte:

Regra 1: O cliente sempre tem razão.
Regra 2: Quando o cliente não tiver razão, volte para a primeira regra.
Regra 3: Na dúvida, siga a regra 1.

Não se discute que essa visão tem forte apelo popular. A despeito das críticas à sua validade, e são muitas, é relevante aprofundar-se na filosofia que sempre permeou o modelo tradicional de gestão das organizações. Afinal, não obstante suas mensagens externas, os líderes corporativos sempre se esmeraram no desenvolvimento de estratégias que visavam criar vantagens competitivas relevantes na sua relação com os clientes. Aumentar seu poder de barganha.

Uma coisa é o discurso. Outra, a prática.

Atualmente, esse espaço de manobra é cada vez mais estreito, e a criação da vantagem competitiva no negócio requer o desenvolvimento de uma conexão profunda com os consumidores, que vá além dos discursos bonitos – muitas vezes, vazios – e se sirva de todos os recursos oferecidos pela tecnologia.

As ferramentas disponíveis permitem traduzir na prática a mensagem sobre a importância do foco no cliente, preconizada há décadas por Peter Drucker, que foi o primeiro pensador a colocar esse tema na pauta dos líderes corporativos. Poucos entenderam o valor da filosofia, na época, e continuam não entendendo.

O conceito renasceu, na década de 1980, no já citado best-seller *In search of excellence*, de Tom Peter e Robert Waterman.

Vale destacar, literalmente, um dos trechos do capítulo "Close to the consumer", que retrata a ácida visão dos autores sobre o tema:

> Que uma empresa deve estar perto de seus clientes parece uma mensagem suficientemente positiva. Então, surge a questão, por que um capítulo como esse precisa ser escrito? A resposta é que, apesar de todos os avisos orientados para o mercado diariamente, o cliente ainda é ignorado ou considerado um incômodo sangrento.

Não seria surpresa se a sentença anterior fosse redigida em algum periódico ou livro nos dias atuais. O pensamento, apesar de terem se passado cerca de quarenta anos do original, continua muito presente.

A novidade é que hoje o líder pode compatibilizar o foco no cliente com a criação de uma sólida vantagem competitiva para seu negócio sem que esses vetores sejam excludentes. Na realidade, o contexto é ainda mais virtuoso, pois é possível ir além do simples foco no cliente.

A tecnologia permite incrementar o valor dos produtos e serviços de uma forma inédita na relação das organizações com seus clientes. Tal realidade está mais presente do que muitos imaginam, protagonizada por companhias e líderes que já entenderam o potencial gerado por esses recursos.

É trivial receber no smartphone uma notificação propondo o melhor horário ou caminho a ser trilhado para dirigir-se a determinado compromisso registrado na agenda do indivíduo. Da mesma forma, o Google apresenta opções de entretenimento e, se o compromisso for próximo do horário do almoço, alternativas de restaurantes próximos, de acordo com as preferências do usuário.

Por mais trivial que seja a aplicação, trata-se de um nível de customização e profundidade jamais pensado na história da humanidade, haja vista que nunca houve recursos disponíveis que permitissem a adoção de estratégias similares a um custo viável e com rapidez no processamento das informações.

O cenário em questão permite dar uma nova interpretação, muito mais poderosa, à visão valorizada por Drucker, Peters e Waterman. As novas tecnologias mudam totalmente o que é conhecido como foco no cliente, pois conseguem aliar personalização com massificação. O líder deve dominar muito bem essa perspectiva para usufruir dos benefícios advindos da dinâmica.

Na nova era, é necessário o foco no cliente, cliente, cliente...

A forma como os produtos são concebidos é altamente impactada pela tecnologia e permite que o processo aconteça em perfeita sintonia com o cliente. Essa customização responde a um anseio cada vez mais presente no mercado consumidor, com a produção de muitas inovações de acordo com os desejos dos indivíduos.

Os recursos atuais permitem aprender mais e melhor sobre o consumidor, reagindo de forma assertiva e veloz. A Netflix é uma das companhias que mais rapidamente catalisou essa possibilidade, adotando uma prática que gerou muita polêmica em seu negócio, pois invadiu um campo sagrado em se tratando de processos criativos: o desenvolvimento de produções culturais.

Como em sua plataforma sempre trafegaram inúmeras informações provenientes do comportamento de seus clientes, a organização utilizou algoritmos para identificar padrões de gostos e desejos. Com o uso da inteligência artificial, os líderes da empresa começaram a encomendar produções, como filmes e séries, de acordo com determinados padrões já preestabelecidos.

Com isso, aliaram racionalidade à intuição, único recurso utilizado, até então, pela indústria de entretenimento na concepção de seus projetos.

As críticas dos agentes mais tradicionalistas são frequentes, e a companhia, habilmente, tem-se esquivado de se aprofundar sobre o uso de informações. Suas preocupações não concernem apenas a não confrontar os líderes criativos do setor, mas também a não suscitar nenhuma desconfiança quanto à utilização de dados de usuários, o que pode estimular discussões sobre privacidade e sigilo de informações pessoais.

Mesmo considerando a não presunção explícita dessa estratégia, está claro que o sucesso de muitas produções recentes, como *Stranger Things*, uma das séries mais bem-sucedidas da plataforma, recheada de referências aos anos 1980, bem como a correção de rota de outras produções, têm como orientação informações coletadas com seus assinantes, que, com isso, têm a possibilidade de receber um conteúdo mais dirigido a seus desejos.

Atualmente, o líder tem um poderoso aliado na concepção dos produtos, utilizando a tecnologia no mapeamento das informações do consumidor. No entanto, não é apenas esse processo que se beneficia da evolução tecnológica. A gestão do cliente e dos serviços de pós-venda são atingidos frontalmente com tal lógica, o que permite aumentar a intimidade com o consumidor por meio de novas conexões remotas, sem a necessidade, muitas vezes, de interferência humana.

A internet das coisas está mudando e irá transformar ainda mais a forma como as empresas se relacionam com seus clientes. Sua adoção traz um potencial infindável de oportunidades para a missão de aumentar a intimidade entre as duas partes em larga escala.

A possibilidade de conectar dispositivos eletrônicos utilizados no dia a dia à internet, além de proporcionar mais comodidade ao consumidor, gera possibilidades de negócios até então não mapeadas.

Em 2015, a Amazon lançou o "dash button". Trata-se de um pequeno botão que pode ser afixado em qualquer eletrodoméstico. Conectado à internet, via wi-fi, ele permite que o consumidor o pressione para, automaticamente, realizar a compra do produto desejado, sem a necessidade de nenhuma interação com computador, notebook ou outro equipamento.

É possível, por exemplo, fixá-lo em uma máquina de lavar roupas e realizar a aquisição de sabão em pó, sempre que diminuir sua quantidade no eletrodoméstico, bastando apertar o dispositivo.

Hoje, o disparo da compra é realizado pelo indivíduo sem um processo de automatização, porém, no futuro, a ordem de compra será deflagrada autonomamente, ao ser identificado, por meio da integração de sistemas e informações, que o estoque de determinado produto baixou na despensa do cliente.

Essa dinâmica gera uma percepção de valor para o consumidor cujo impacto é definitivo, e as oportunidades vão além da geração de negócios. Repousam, também, na fidelização do cliente e na diminuição de custos de manutenção.

Recentemente, a revista norte-americana *Wired* publicou um artigo comparando como duas empresas gerenciavam uma iniciativa usual na indústria automobilística: o recall de problemas identificados em automóveis já disponibilizados ao público.

Os casos reportados no artigo referiam-se a problemas que podiam gerar incêndios em determinados lotes de automóveis de duas organizações: GM e Tesla.

No caso da GM, foi realizada uma campanha em todos os meios de comunicação, informando que os proprietários de determinados lotes de automóveis deveriam comparecer às concessionárias de sua rede para executar a correção do problema. O procedimento levaria um tempo para ser realizado e só poderia acontecer fisicamente nos locais apontados pela empresa.

Por seu lado, a Tesla enviou um comunicado a seus clientes, no próprio display do automóvel, apenas informando que estaria disponível uma atualização no *software* de gestão do produto para resolver o problema previamente identificado. O cliente poderia baixar imediatamente a atualização ou programar para quando desejasse, bastando para isso estar conectado a uma rede wi-fi. Assim, não seria necessário que o proprietário se deslocasse a nenhum ponto físico para a realização do procedimento.

A Tesla está construindo uma referência de mercado, oferecendo um novo significado ao conhecido recall de automóveis. Não é necessário ser muito esperto para imaginar o efeito desse simples procedimento na mente de um consumidor que está, tradicionalmente, habituado a um procedimento convencional que gera muito desconforto, atingindo toda a sua rotina.

Essa intimidade com o cliente só é possível graças à disponibilidade de tecnologia, porém ela parte da convicção da liderança sobre a necessidade de aumentar sua conexão com os consumidores, criando assim uma nova dimensão de vantagem competitiva em relação aos concorrentes.

O líder deve incorporar em sua filosofia uma releitura do significado do tradicional foco no cliente, considerando a real perspectiva de aumentar as conexões de valor com seu consumidor, gerando um nível de intimidade em escala inédita. É necessário se desapegar da visão clássica que trata essa proximidade como um risco, como uma forma de empoderamento do público.

Na nova era, empoderar o cliente é sinônimo de empoderamento do negócio.

Ao não adotar tal mentalidade, a organização e seu líder correm o risco de receber a incômoda visita em seu mercado de alguma empresa que consiga fazer uma leitura mais adequada do ambiente. Os casos da Tesla e da Netflix mostram o incômodo que pode ser gerado com esses intrusos.

Cada vez que evoluem as indagações e caminhos acerca do posicionamento do líder no novo ambiente, cresce na mesma proporção a convicção de que não existe caminho fácil ou predeterminado.

O mundo das respostas prontas não existe mais, pois ninguém tem o privilégio de deter esse poder.

Mais importante do que ter as respostas certas, é fazer as perguntas corretas.

A capacidade de fazer grandes perguntas

É da natureza do ser humano a busca pelo controle. No mundo dos negócios, essa máxima sempre esteve presente na pauta de todos os líderes organizacionais. Uma das formas mais poderosas de se ter o controle é ser o detentor das respostas definitivas para qualquer questão estratégica do negócio.

Dessa forma, não há margem para reflexões contrárias ao *status quo*, e todos, bovinamente, seguem o mesmo caminho – a imagem do operário apertando parafusos, imortalizada pelo gênio Charles Chaplin, em *Tempos modernos*, é pródiga nesse sentido.

Tal mundo não existe mais. Não é sequer uma opção conceber que o atual universo é regido por respostas definitivas. Uma lógica bem simplista traz a seguinte perspectiva: um mundo estável = respostas estáveis; um mundo imprevisível = respostas imprevisíveis. Simples assim.

Os líderes devem abandonar suas convicções ultrapassadas sobre a necessidade de terem sempre as respostas, na ponta da língua, para qualquer demanda. Na 4ª Revolução Industrial, o ponto de inflexão está nas mãos de quem faz as perguntas certas e não nas de quem tem as respostas prontas.

É importante resgatar, novamente, a relevância da humildade como fator de desenvolvimento pessoal, com o líder aprendendo a desaprender e se desapegando de suas certezas, muitas delas entranhadas nas profundezas de sua consciência.

Ao criar o padrão de fazer perguntas instigantes com frequência, estimula-se a curiosidade e a inquietude provenientes da convicção de que tudo "está em aberto".

Eric Ries, autor do livro *A startup enxuta*, um dos mais influentes dessa nova era, apresenta sua visão sobre a importância das perguntas em uma sentença que vale destacar: "Vivemos na época de ouro das perguntas. Na velha economia, era tudo sobre ter as respostas. As respostas hoje duram pouco tempo. Na economia dinâmica e enxuta de hoje, é mais sobre fazer as perguntas certas".

A visão das respostas definitivas gerou inflexibilidade de pensamento, que deflagrou o processo de decadência de muitas organizações já citadas, como Kodak, Nokia, Blockbuster, entre tantas outras.

Warren Berger, no livro *A more beatiful question* [Uma pergunta mais bonita], afirma que líderes bem-sucedidos são *experts* em fazer perguntas. Eles questionam o saber convencional de seu setor, as práticas fundamentais de sua empresa e até a validade de suas premissas.

Reed Hastings, fundador da Netflix, é um inquieto provocador de grandes perguntas, cujas reflexões não só deram origem à empresa como, continuamente, dirigem o rumo do negócio.

Um exemplo das grandes perguntas que originaram e pautam a evolução da Netflix:

- Por que tenho de pagar multa por atraso para a Blockbuster? (A pergunta original que suscitou o desejo de lançar o novo negócio.)
- E se uma videolocadora fosse administrada como uma academia de ginástica? (O modelo de assinatura mensal.)
- Como posso distribuir filmes e shows on-line (O modelo de distribuição de conteúdos via *streaming*.)

⊃ Por que só alugamos filmes e shows? (A tendência do consumo das séries.)
⊃ E se nós produzíssemos também? (O início das produções próprias.)

É fascinante verificar como o hábito de fazer perguntas confronta o negócio de forma profunda e estabelece uma cultura do questionamento constante relacionado à preparação para lidar com as mudanças do ambiente.

O comportamento do líder deve ser mais fluido, aberto, poroso, às necessidades que surgem, diariamente, no mercado. A postura do "dono da razão" não combina com a dinâmica atual da sociedade e dos negócios.

É necessário ficar claro que essa habilidade deve ser estimulada proativamente, pois não faz parte do repertório clássico de qualquer líder. As escolas sempre valorizaram a resposta correta em detrimento da curiosidade (o tradicional modelo do questionário e das provas, só para ficar em um exemplo). No ambiente empresarial, o indivíduo nunca foi motivado a conviver harmonicamente com perguntas, pois, dessa forma, transmitiria uma sensação de insegurança.

Com isso, ao longo dos anos, as organizações evoluíram como ambientes muito pouco propícios a tal comportamento. Regidos pela égide do conformismo e da (falsa) estabilidade, a maioria dos colaboradores das empresas se esmeram em realizar suas atividades quase como seres autômatos, no "piloto automático".

A tendência é que, assim, seja estimulada a economia de energia mental como padrão, o que gera a falta de motivação para questionar o *status quo*. O resultado dessa dinâmica perversa é o emburrecimento generalizado de toda a organização, que ficará "acéfala" e incapaz de catalisar todas as transformações do ambiente em mutação onde está inserida.

Um aspecto absolutamente dramático dessa postura, com impacto social alarmante, diz respeito à substituição do ser humano por robôs, no ambiente corporativo. Não existe nenhuma dúvida de que, como outro efeito da evolução tecnológica, esse processo já está em curso, com uma velocidade inédita, em uma escalada que só tende a se acentuar.

A questão relevante a ser tratada, no entanto, é que tipo de trabalho será mais atingido com o processo de substituição. Existem diversas interpretações e exercícios de futurologia realizados por estudiosos, que vão de previsões mais radicais, que preconizam que, com o avanço da inteligência artificial, literalmente, todas as atividades poderão ser realizadas por robôs, como outras que vislumbram um processo menos extremo.

Não é necessário realizar um estudo mais profundo para constatar que, a despeito da intensidade, as atividades repetitivas, rotineiras, serão o primeiro alvo desse processo. Incentivar uma postura que estimule a reflexão vai de encontro a desenvolver novas formas de valorização do trabalho humano, criando uma frente mais promissora de inserção do indivíduo nesse novo mundo.

Em recente entrevista à revista *Veja*, Erik Brynjolfsson, professor e pesquisador do MIT, utiliza todo o repertório proveniente de seus estudos à frente de uma das mais prestigiadas universidades do mundo para sentenciar sua visão de que está muito claro que os computadores são ótimos para encontrar respostas, mas ainda não são capazes de desenvolver questões.

O pesquisador comenta que essa habilidade, até agora, parece ser unicamente humana e de alto valor. A possibilidade de criar novos paradigmas e explorar todo o potencial de negócios advindos da 4ª Revolução Industrial tem como uma de suas competências essenciais, a ser desenvolvida, a capacidade de fazer grandes perguntas.

Paradoxalmente, a questão mais relevante a ser exercitada por todo líder foi elaborada na década de 1960. Mais de uma vez, foi abordada, nesta obra, a importância do artigo de Theodore Levitt, "Marketing myopia". O pilar fundamental para que o líder encontre a essência de seu negócio é uma pergunta simples, cujos segredo e profundidade residem na busca pela sua resposta: "Qual é o seu negócio?" ("What business are you in?", em inglês).

Essa é a pergunta mais famosa do mundo dos negócios, porém ainda ignorada por muitos, que não se dão conta de sua relevância. É a típica pergunta que ajuda a identificar e resolver problemas, inovar e desenvolver ideias que podem mudar o jogo e perseguir novas oportunidades. Foi uma resposta incorreta a essa pergunta que levou a Kodak a ignorar o negócio de máquinas digitais, a Sony a não entender o negócio de *streaming* para a distribuição de músicas e assim por diante.

Uma grande pergunta é uma pergunta ambiciosa, porém realizável, capaz de começar a mudar a maneira como percebemos algo e que pode servir como catalisadora de mudanças.

Para ser um protagonista, o líder deve preparar-se para ser um grande questionador, criando uma cultura corporativa baseada na inquietude e na curiosidade, que motive a leitura constante do alinhamento do negócio perante o novo ambiente empresarial.

Quando o líder deve parar de fazer perguntas?

Nunca, visto que, no mundo em transformação, as respostas são sempre transitórias.

O líder conector

Um dos principais núcleos de inovação mundial da história dos negócios foi fundado em 1970 por uma das empresas mais icônicas de todos os tempos: a Xerox.

Foi nesse período que a organização decidiu criar mais um centro de pesquisa para a empresa que, apesar de ser líder inconteste em seu setor de atuação, previa as inúmeras oportunidades advindas do avanço computacional, provenientes de diversas fontes, com destaque para a evolução do microprocessador.

A Xerox Parc, ou simplesmente Parc, nasceu em Palo Alto, na Califórnia, a 5 mil quilômetros da sede da empresa. A distância se justificava, visto que o Vale do Silício iniciava sua consolidação como grande polo catalisador de desenvolvimento tecnológico e também pelo fato de o afastamento físico permitir maior liberdade aos criadores do projeto.

De suas instalações saíram invenções consagradas que mudaram o rumo da humanidade, como o mouse, a impressão a laser e a Ethernet, base de toda comunicação de computadores em rede.

Nenhuma das invenções, no entanto, causou tanto alvoroço e repercussão quanto a criação da interface gráfica dos computadores pessoais, projeto batizado GUI.

Esse desenvolvimento foi aplicado no Alto, o primeiro computador a adotar o conceito da "área de trabalho" na tela (desktop) e a apresentar uma interface amigável em máquinas que, até então, se configuravam ao usuário como uma tela preta suportando apenas o input de textos, sem a utilização de ícones ou outros recursos gráficos.

A interface gráfica nos computadores pessoais foi adotada massivamente pela indústria e se mostrou fundamental para a popularização dos computadores pessoais e consequente onipresença da tecnologia em toda a sociedade.

Não foi a Xerox, no entanto, que lucrou com essa incrível invenção.

Em 1979, Steve Jobs foi convidado a visitar o Parc para conhecer alguns desenvolvimentos do projeto. Na época, ele já era um líder com notoriedade, e a Apple, fundada três anos antes, uma empresa reconhecida e próspera, especialmente pelo lançamento do Apple 2, que foi um sucesso imediato.

Jobs comentou que lhe apresentaram três projetos. Um deles, porém, encantou-o tanto que ele nem notou os outros dois. Em um vídeo, o empreendedor afirmou que aquilo havia sido a melhor coisa que já tinha visto na vida. Ele se referia à interface gráfica.

O projeto tinha muitos erros, estava incompleto, porém o núcleo central da ideia estava todo lá. Em dez minutos, Jobs teve a visão de que todos os computadores da humanidade funcionariam daquele jeito, algum dia.

O prognóstico foi um dos pontos de inflexão mais relevantes da Apple, que, imediatamente, iniciou o desenvolvimento de um projeto de interface gráfica para todas as suas novas máquinas, com ênfase no Macintosh, dando forma à visão de tornar um computador acessível a qualquer pessoa, por meio de uma interação mais amigável e intuitiva.

A partir daquele momento, a história do mundo da computação e da sociedade mudou, iniciando um movimento de transformação digital liderado por empresas de porte, como Apple, IBM, Microsoft, dentre outras. Nesse universo, a Xerox não foi uma protagonista do nível das demais companhias.

Jobs comentou que a empresa poderia comandar toda a indústria da computação, até hoje, porém foi excluída de sua maior vitória.

Por que isso aconteceu? Por que em meros dez minutos, Steve foi capaz de entender muito mais do projeto e de suas implicações do que a empresa que o desenvolveu em anos?

Jobs foi o conector, e os líderes da Xerox tiveram uma visão fragmentada.

O modelo tradicional de gestão sempre esteve baseado na especialização de áreas funcionais. Dessa forma, as companhias clássicas criaram nichos em departamentos, como engenharia, financeiro, vendas e assim por diante. Esse padrão, proveniente do pós-Revolução Industrial, gerou uma legião de especialistas que se dedicaram em profundidade às suas atribuições específicas e tenderam a ignorar uma visão mais holística da organização e de suas derivações.

Quando a incerteza reina, no entanto, não é a previsibilidade que governa. A 4ª Revolução Industrial é exponencialmente mais rápida e integra conhecimentos de áreas tão distintas quanto os mundos físico, digital e biológico, entre outros.

O líder conector cria ligações entre silos. Ele é um gestor de especialistas e, sobretudo, um conector de pontos.

Steve Jobs foi quem melhor personificou esse perfil. Em 2005, em seu discurso aos formandos da Universidade de Stanford, ele popularizou sua visão sobre o *"connecting the dots"* [conectando os pontos]. Em pouco tempo, o vídeo se espalhou pela internet e se tornou um dos conteúdos mais populares do empreendedor em sua carreira.

No discurso, Jobs utilizou sua experiência para mostrar a relevância de conectar os pontos a fim de vislumbrar novas possibilidades e perspectivas. O caso da Xerox é pródigo nesse sentido. O empreendedor foi capaz de conectar aquela invenção a todo repertório desenvolvido com a iminente oportunidade de popularização dos computadores, por meio de uma interface mais amigável, e vislumbrou os impactos daquele desenvolvimento para a humanidade.

Olhando em retrospectiva, parece uma construção óbvia, porém trata-se de ingenuidade e reducionismo perigosos cair nessa armadilha. Faziam parte dos quadros da Xerox alguns dos líderes mais preparados da época. Profissionais que contribuíram para que ela alcançasse o panteão de uma marca que se tornou sinônimo de categoria, posição atingida por raríssimas companhias ao longo da história.

A organização, no entanto, não tinha um modelo que conectasse todos os níveis de seu conhecimento. As áreas não interagiam entre si e não havia uma liderança que integrasse todas as frentes de desenvolvimento da companhia.

Jobs conectou os pontos e teve uma epifania: aquela solução mudaria o mundo.

Conectar os pontos é um exercício de mergulho no inesperado. Só é possível olhando-se para trás e percebendo todas as relações entre diversos elementos aparentemente desconexos. Se o foco estiver centrado no futuro, nada acontecerá.

Paradoxalmente, é a construção de um futuro não realizado a grande contribuição dessa habilidade, porém sua viabilização emerge da essência do negócio, do repertório de seus líderes e de sua história.

Só mesmo conhecendo em profundidade o negócio em que se está inserido, sua potencialidade e perspectivas, é possível catalisar conhecimentos tão distantes de seu núcleo central.

Ainda no discurso de Stanford, Jobs comentou que, ao abandonar a universidade, dedicou-se às aulas de caligrafia. Esse conhecimento foi absolutamente essencial no desenvolvimento do Macintosh, que, além de uma apurada estética em todos os seus componentes, foi o primeiro computador a adotar a tipologia elegante como um de seus recursos principais.

Seguramente, Jobs não fez o curso de caligrafia pensando no desenvolvimento dessa solução no futuro. Ele apenas dedicou-se à atividade de corpo e alma e, no momento certo, conectou-a com outro contexto. O empreendedor explicou que é necessário confiar que, de alguma forma, os pontos se conectarão no futuro. O fluxo é tão síncrono que tudo acontecerá de forma natural. É preciso acreditar.

É justamente esse contraponto ao determinismo, tão presente no tradicional ambiente corporativo, que gera o abismo por meio do qual líderes se lançarão rumo ao imponderável.

É na contramão da história sisuda, hermeticamente fechada, que se encontra o caminho para absorver esse nível de conhecimento. Os líderes devem beber de outras fontes distantes do convencional mundo empresarial. Estudar humanidades, filosofia, antropologia, física... É necessário ser uma esponja para absorver todo nível de conhecimento que será requerido para trazer novos elementos à gestão em um mundo incerto, imprevisível e veloz.

Jobs sempre acreditou que a tecnologia por si só nunca seria suficiente. Essa visão soava utópica em uma época na qual o setor era dominado por racionais engenheiros, que estavam mais focados nas características funcionais das suas maravilhosas invenções do que em seu impacto nas pessoas.

O genial empreendedor dizia que "é a tecnologia casada com as artes liberais, com as humanidades, que produz resultados que fazem nosso coração cantar".

Em um ambiente em ebulição, onde emergem novas possibilidades a cada minuto, não é possível que o líder fique preso a uma ideia, a uma única perspectiva. É preciso direcionar sua sensibilidade ao quadro geral, a todo contexto e entender aquilo que faz sentido. Não se trata de uma habilidade trivial. Os grandes empreendedores são aqueles que olham para onde todo mundo está olhando e enxergam o que poucos estão enxergando.

É necessário, porém, sair do conforto dos silos e dos espaços de domínio para absorver novos conteúdos, novos conhecimentos, novas possibilidades.

O líder conector é inteligente e possui bastante repertório, mas não é só isso. Também se dedica à execução disciplinada dos projetos em que se envolve. Não basta ter a ideia. É necessário executá-la com excelência.

Para isso, pratica a colaboração, a experimentação e o empreendedorismo na organização, engajando todos os colaboradores no mesmo propósito. É imperativo que todos tenham a mesma visão. Que todos sonhem o mesmo sonho. Assim, irão florescer novas perspectivas, realizadas com a contribuição de diversos protagonistas. Não é à toa que líderes conectores desenvolvem a habilidade da união em prol de um objetivo.

Trata-se de uma vigorosa combinação de curiosidade, autoconfiança, sociabilidade e gestão.

Curiosamente, e não por coincidência, existe outra passagem na trajetória de Steve Jobs que demonstra, mais uma vez, seu papel como um grande integrador, o chief integrator officer da Apple, como gostava de ser reconhecido.

No início da década de 1980, a japonesa Sony inventou um produto revolucionário que conquistou um sucesso avassalador em muito pouco tempo. Em menos de um ano de seu lançamento em solo norte-americano, já estava presente em um a cada onze domicílios da região.

Tratava-se de uma inovação sem precedentes que, de tão impactante, mobilizou a opinião pública do país, que se preocupava com o nível de alienação causada por aquela tecnologia, sobretudo entre os jovens, pois reforçava o individualismo excessivo em contraponto às interações com outras pessoas.

Uma das manchetes de um jornal da época sentenciava: "Essa tecnologia não mudará a forma como nos comportamos, mudará quem somos". A reação da sociedade foi tão agressiva que nove estados promulgaram leis para proibir sua utilização nas ruas.

Tanto esforço não foi suficiente, e o Walkman, depois de um estrondoso lançamento no Japão, consolidou-se nos Estados Unidos como um dos maiores casos de sucesso do setor de equipamentos eletrônicos da história do império do consumo.

A Sony usufruiu desse êxito durante anos e conseguiu, habilidosamente, consolidar seu produto como sinônimo da categoria, graças a seu pioneirismo. Seus lucros cresceram na proporção do êxito de seu novo projeto. A companhia japonesa já era uma grande corporação com histórico consagrado na popularização de equipamentos eletrônicos. Além da produção, também era detentora de uma reluzente gravadora, prestigiada no setor, a Sony Music.

Em 2001, no entanto, toda essa hegemonia começou a ruir. Foi em outubro daquele ano que Steve Jobs, em um dos célebres eventos que protagonizou, lançou um aparelhinho que transformou a indústria fonográfica mundial: o iPod.

Poucos se recordam que o iPod foi o principal protagonista na retomada do crescimento da Apple. Muitos ainda questionavam se a organização conseguiria se recuperar, pois seu produto principal, o Macintosh, havia se consolidado como um produto caro e de nicho. Quando Jobs apareceu com aquele pequenino aparelho, não foram poucos os especialistas e críticos que duvidaram de que aquele lançamento tivesse, realmente, condições de prosperar.

O resultado foi espetacular. Em pouco tempo, o produto consolidou-se como um dos principais gadgets da nova era e, mais do que com seu uso, transformou o comportamento de consumo de músicas no mundo, desconstruindo todo o setor.

O iPod, ou seu conceito, não deveria ter sido inventado pela Sony, até então líder incontestável da categoria e com muito mais recursos do que a Apple, à época? Por que isso não ocorreu?

Tal qual o exemplo da interface gráfica da Xerox, Jobs conectou todos os elementos do contexto e percebeu que o mundo estava se digitalizando, com a popularização do acesso à internet, proveniente de custos decrescentes para aquisição do serviço e maior velocidade de transmissão. O empreendedor enxergou que esse movimento iria chegar ao consumo doméstico, como ocorreu com os computadores pessoais, e que haveria a oportunidade de conectar um produto à internet, conferindo-lhe inúmeras alternativas, para um público acostumado com a limitação de suas fitas cassetes.

Ao mesmo tempo, notou a oportunidade de desenvolver um novo modelo de distribuição de músicas alinhado com esse projeto. Como já explorado em capítulo anterior, o que muitos entenderam ser apenas o lançamento de um equipamento para competir com o Walkman, na realidade representou o surgimento de uma nova plataforma, um novo modelo de negócios, que foi o precursor de tudo o que veio adiante, culminando com o sucesso devastador do iPhone, da Apple Store, do iTunes e de todos os lançamentos que levaram a Apple ao posto de empresa mais valiosa do planeta.

Os líderes da Sony não foram capazes de conectar todos os pontos que estavam à sua disposição, visto que era proprietária de uma companhia que produzia equipamentos eletrônicos e de outra que fazia a gestão da produção de músicas e sua distribuição.

Mesmo considerando que, por meio de seus bem-sucedidos empreendimentos, a Sony fosse detentora das competências necessárias para desenvolver uma plataforma com as características da modelada pela Apple, seus líderes não conseguiram alcançar essa visão, pois a empresa era compartimentada em divisões autônomas, desintegradas, cada uma responsável pela geração de lucratividade de seu negócio.

O professor Ram Charan explora esse caso na obra *The high--potential leader*, em que menciona uma entrevista ao *Wall Street Journal* de Howard Stringer, líder de operações da Sony nos Estados Unidos, que afirmou que "é impossível comunicar-se com todos quando você tem muitos silos". A organização sucumbiu à própria desintegração.

Além de ser capaz de conectar os pontos, realizando uma interpretação apropriada do ambiente, o líder conector deve ser capaz de integrar todos os esforços da companhia rumo ao objetivo central da organização.

Jobs se intitulava integrador chefe da companhia e sempre afirmava que a integração era a única forma de produzir produtos perfeitos.

A Sony falhou ao não integrar todas as suas unidades no desenvolvimento de um projeto único, sobretudo as frentes de desenvolvimento de conteúdo com as de produção de equipamentos.

Jobs sempre se dedicou a integrar todos os profissionais do negócio em prol do mesmo projeto, com os engenheiros tendo o mesmo foco na profundidade do desenvolvimento de um produto que os vendedores, que estão conectados às demandas do consumidor.

A Sony poderia ser a Apple de hoje.

O desafio da integração atinge um nível exponencial e deve estar, obrigatoriamente, na pauta do líder, na medida em que as soluções desenvolvidas atualmente são distintas do padrão convencional orientado à especialização. Quanto mais diferenciação uma organização suporta, menos tende a ser integrada.

O líder conector deve ser capaz de aliar diferenciação com integração, construindo um ambiente permeável ao novo, porém centrado na singularidade de seu propósito único.

As organizações vencedoras na 4ª Revolução Industrial são aquelas que, mais rapidamente, conseguem fazer uma leitura correta dos movimentos do mercado e implementam soluções com esse foco.

Velocidade é essencial. Em contraste com a economia tradicional, não é o maior que sobrevive, e sim aquele que se adapta mais rapidamente ao ambiente. Darwinismo na veia. O líder deve construir uma cultura organizacional aberta ao novo, integrando todos os recursos na mesma direção.

Essa cultura representa o DNA da corporação e deve instilar a visão singular da organização entre todos os colaboradores e novos funcionários que se aliem ao negócio.

Ao líder, cabe certificar-se de que todos os silos e *experts* da organização estão conectados entre si, alinhados, e acompanhar de perto os resultados gerados pelo processo. É um esforço proativo que requer presença constante e diligente. Todos devem perceber o valor que a iniciativa tem para a organização, representada pela participação ativa de suas principais lideranças.

O líder conector é, antes de qualquer coisa, um gestor de especialistas. Essa posição transcende a clássica perspectiva do comandante orientado exclusivamente à gestão dos resultados financeiros, à lucratividade do negócio e suas dimensões racionais.

É necessário ir além, conectando toda potencialidade da organização com as demandas do mercado, o comportamento de seus clientes e as tendências de consumo. Quando faz as conexões adequadas, o líder não apenas conecta os especialistas dentro da organização, mas também acerta nas ligações desses talentos com o mercado consumidor.

A habilidade do líder como conector amarra todas as sete dimensões anteriores apresentadas neste capítulo. Ao desenvolver tal competência, o indivíduo tem condições de catalisar com mais propriedade todas as demais exigidas para lidar com êxito no novo ambiente empresarial.

Caso não o faça, o líder terá uma visão absolutamente desintegrada, não entendendo a correlação indispensável entre todos os elementos presentes em cada uma das competências relacionadas.

O líder conector é a base para a transformação. O fundamento para construir realizações provenientes das inúmeras conexões possíveis em um ambiente onde florescem, diariamente, novas oportunidades e possibilidades.

O equilíbrio emocional: a base de tudo

A construção de uma nova mentalidade para a liderança envolve navegar pelas oito competências e habilidades exploradas neste capítulo. Existe uma perspectiva, no entanto, que é parte essencial do repertório de qualquer líder de sucesso e não pode deixar de ser citada. Trata-se do equilíbrio emocional.

Alguns especialistas definem a ambiguidade como uma das características centrais da atualidade. É ambíguo aquilo que tem diferentes sentidos, que desperta dúvida ou incerteza.

Talvez não exista um termo que tão bem simbolize o mundo contemporâneo.

Essa dinâmica impacta de forma frontal o líder até então acostumado com uma posição de autoridade pautada na assertividade de quem tem todas as respostas prontas. Posição que repete o tradicional modelo do núcleo familiar, ao não aceitar opiniões contrárias que discordem da posição do soberano, o patriarca.

Nada mais ultrapassado do que essa visão. Líderes são confrontados a todo instante, em um caminho sem volta. Aquele que não tiver flexibilidade para entender esse movimento entrará em um processo de sofrimento pessoal irrefreável e não conseguirá conduzir seus colaboradores ao caminho almejado, visto que perderá sua legitimidade.

Ao longo de toda a obra, mais de uma vez foi evidenciada a transformação causada pelo Uber na sociedade, sob a liderança de seu fundador, Travis Kalanick. É inegável que se trata de um líder visionário, que conseguiu catalisar como poucos as transformações do ambiente e teve uma incrível habilidade de executar essa visão de forma precisa e ímpar.

Foi no equilíbrio emocional, todavia, que Kalanick apresentou lacunas no exercício de sua liderança. Em um curto período, envolveu-se em uma acalorada discussão com um motorista credenciado na empresa (devidamente registrada em vídeo e espalhada na internet), em acusações de ter incentivado uma cultura corporativa permissiva ao assédio sexual e à discriminação (foram mais de 215 denúncias de colaboradores depois do tema desfraldado), além de uma queixa de fraude por um dos investidores do negócio.

Todo esse turbilhão de problemas culminou com o afastamento temporário, e depois definitivo, do fundador do negócio, decidido pelos investidores reunidos no Conselho de Administração da empresa.

Só o tempo dirá quais são as reais responsabilidades de Travis no processo. O empreendedor baseia sua defesa propagando que o movimento foi orquestrado pelos investidores para lhe tirar do poder.

O exemplo, porém, concretiza de forma clara e transparente as requeridas atenção e sensibilidade do líder a todos os movimentos do contexto. Para lidar com essa complexidade e ambiguidade, é necessário muito controle emocional, uma vez que estão na pauta novos temas, novas perspectivas e, por que não dizer, novas ameaças.

Não basta apenas ser um estrategista ou visionário. É necessário estar atento a como lidar com as novas demandas da sociedade e entender que existe uma vigilância constante que ecoará de forma ruidosa cada passo dado pelo líder e suas consequências.

O nível de exposição dos indivíduos cresceu exponencialmente, e nada passa despercebido do grande público. A figura do Big Brother, concebida pelo visionário George Orwell, no livro *1984*, é uma das referências mais claras da extrema vigilância pela qual passa todo líder no atual contexto empresarial.

A instabilidade também gera insegurança quanto à qualidade das decisões. Elon Musk, em sua biografia, reconhece o impacto das incertezas dos negócios em sua vida pessoal. Essa instabilidade faz parte do contexto e só tende a se acentuar, à medida que novas ameaças prometem disruptar negócios rapidamente. Sem equilíbrio emocional, o líder não sustenta a serenidade necessária para o essencial distanciamento do epicentro da crise na busca por alternativas para seu projeto.

Em nenhum momento do ambiente empresarial foi tão evidenciada a adoção de estratégias e alternativas que visem à valorização do autoconhecimento e do equilíbrio emocional. Não é à toa. O mesmo movimento pendular que põe em xeque as tradicionais práticas do mundo corporativo, questionando o excesso de racionalidade, traz à tona a imperativa necessidade de equilibrar razão com emoção.

Não se trata de uma escolha empresarial. É uma opção de vida à qual a humanidade agradece.

Aproveitamos toda a experiência de Sofia Esteves para explorar sua visão sobre o perfil desse novo líder com uma leitura bem prática dos desafios e *gaps* encontrados atualmente no ambiente empresarial. Além disso, vamos refletir sobre o futuro do trabalho e seu impacto junto aos trabalhadores atuais e do futuro. Você pode assistir aqui: http://promo.editoragente.com.br/gestao-do-amanha-ensino-perfil-do-lider.

QUESTÕES ESSENCIAIS PARA SUA REFLEXÃO

1. Como você e sua empresa analisam as habilidades dos profissionais com quem se relacionam em seu negócio? E quando contratam um novo executivo, o processo é similar? Algumas das competências avaliadas enquadram-se nas 8 competências do líder da 4ª Revolução Industrial apresentadas aqui?

2. Faça um exercício em sua prática atual: que atividades você poderia liderar orientadas a refletir a respeito de um novo posicionamento de seu negócio atual, visando uma maior adequação à realidade atual dos negócios? Quais são os obstáculos para colocar em prática um plano orientado a criar uma nova perspectiva para seu projeto atual?

3. O que seria uma perspectiva ampliada de seu negócio visando seu crescimento e aumento de influência? Quais são os caminhos para construir uma estratégia orientada a viabilizar essa visão?

4. Elabore, como um exercício, o enunciado de um Propósito Transformador Massivo para seu projeto, considerando todas as características apresentados no capítulo 5.

5. Quais são as principais ameaças para o futuro de seu negócio? Reflita sobre caminhos possíveis de estratégias inovadoras orientadas a encontrar novas alternativas para seu projeto, visando preservá-lo dessas ameaças. Quais são os obstáculos para executar um plano com esse propósito?

ESTRATÉGICA – LIDERANÇA

6. Qual é o seu nível de conhecimento das tecnologias e modelos apresentados no capítulo 5 no tópico "O líder como entendedor da Lei de Moore, plataformas e novas tecnologias"? Qual é o tempo que você destina, atualmente, para estudar esse universo de inovações e soluções disruptivas que emergem diariamente?

7. Faça uma análise crítica da sua visão atual do modelo de relacionamento com os clientes em seu negócio. Os modelos que adota são orientados para a visão do foco no cliente apresentada na obra? Quais seriam as possibilidades de adotar um modelo mais alinhado com essa visão?

8. Enuncie as principais perguntas que você deve fazer para gerar uma reflexão crítica sobre o futuro de seu negócio. Desenvolva o mesmo processo para gerar perguntas relevantes sobre os rumos de seu desenvolvimento profissional.

9. Como líder, você consegue articular todas as frentes de seu negócio em prol de uma visão única? Todas as iniciativas de seu projeto estão integradas? Reflita sobre as características de uma perspectiva única que alinhe todos os esforços de seu negócio em um modelo estratégico só.

10. Faça uma reflexão sobre sua rotina como líder. Em que estágio você considera que se encontra seu equilíbrio emocional? Em sua visão, existe espaço para ter uma relação melhor com as questões críticas que se apresentam em sua atividade? Quais são os caminhos para conquistar um equilíbrio emocional maior?

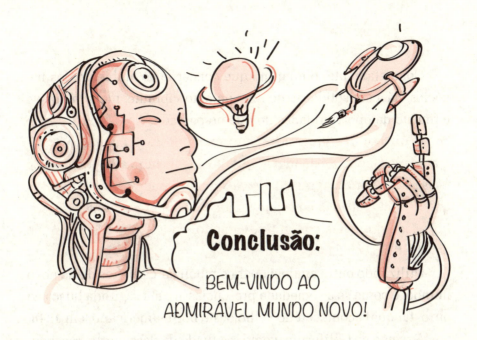

Conclusão:
BEM-VINDO AO ADMIRÁVEL MUNDO NOVO!

O escritor Aldous Huxley publicou, em 1932, uma obra clássica, reconhecida como um dos cem melhores livros da humanidade: *Admirável mundo novo*. Trata-se de uma distopia que retrata uma sociedade futura caracterizada por condições muito peculiares e faz uma crítica às tendências da sociedade atual, alertando para seus perigos.

A bola da vez foi a crítica à sociedade de massas e, em especial, aos perigos do avanço tecnológico e da ciência como forma de manipulação do indivíduo.

O título traz consigo uma doce ironia: o admirável mundo novo...

Tal qual preconizado pelo autor, estamos às portas de um universo incrível de possibilidades. As semelhanças com a obra-prima de Huxley param por aí, apesar de as evidências de seus riscos manifestarem-se frequentemente, sobretudo nos imprevisíveis efeitos do avanço tecnológico para a sociedade.

Concretamente, porém, no que concerne ao ambiente dos negócios, há a consolidação de um contexto vibrante, mais inclusivo e repleto de oportunidades do que no passado. A possibilidade de construir novos empreendimentos com alto potencial de crescimento e influência está mais presente do que nunca, e, ao longo de nossa obra, foram apresentados exemplos concretos de empresas que residiam apenas na esfera da ideação, há cinco ou dez anos, e hoje são realidades concretas, gerando valor social e econômico para toda a sociedade.

Utilizando outra analogia para simbolizar os efeitos desse novo mundo, é como se a sociedade presenciasse uma segunda busca ao ouro, tal qual aconteceu no velho oeste norte-americano, em 1848.

A região da Califórnia, como resultado da descoberta, recebeu, em menos de dez anos, cerca de 300 mil pessoas, no movimento que ficou conhecido como Corrida do Ouro e que trouxe um novo significado ao "sonho americano".

Não à toa, ela se transformou em um dos estados mais vibrantes do país, berço do empreendedorismo, com o surgimento do Vale do Silício, onde despontaram algumas das empresas e empreendedores mais emblemáticos da nova era.

Tal como os garimpeiros, que não perderam tempo e colocaram a mão na massa para aproveitar todas as oportunidades advindas daquele achado, é necessário se apropriar das novas possibilidades oriundas da 4ª Revolução Industrial e fazer acontecer.

Ao longo desta leitura, você foi instigado por novos conceitos e provocações, que confrontaram o *status quo*. Para que essas ideias se concretizem em algo prático, é necessário executá-las, realizá-las, experimentar e testar novos modelos. Errar, acertar, ousar, arriscar. Mais do que tudo, é necessário fazer.

Não existe melhor momento para se viver se comparado ao passado recente. Tudo está em aberto. O ônus da ignorância dá espaço para o bônus da ignorância. O futuro recente irá testemunhar milhares de organizações e empreendedores que farão a correta leitura desse novo código, construindo iniciativas e projetos vibrantes, disruptivos e transformadores.

O conhecimento é o novo ouro a ser garimpado. A única forma de transformá-lo em riqueza, no entanto, é por meio da ação. Aqueles que enriqueceram no velho oeste não o conseguiram pelo fato de saberem que o ouro estava disponível. Prosperaram porque arregaçaram as mangas no garimpo e foram buscar o que lhes pertenceria no futuro.

É chegado o momento de garimparmos a riqueza disponível no universo. Você não pode perder essa oportunidade.

Transforme seu conhecimento em ouro, executando seus planos e fazendo acontecer. Não há tempo a perder.

Sucesso!

CONCLUSÃO

DA MÁQUINA A VAPOR À 4ª REVOLUÇÃO INDUSTRIAL: A EVOLUÇÃO DO MUNDO DA GESTÃO

DE ONDE VIEMOS

- O COMEÇO DE TUDO: A INVENÇÃO DO MOTOR A VAPOR...
- ...O MUNDO COMEÇA A SE "DISRUPTAR"

ONDE ESTAMOS

O FUTURO NÃO É MAIS COMO ERA ANTIGAMENTE...

- EXPECTATIVA DE VIDA DE UMA EMPRESA: 15 ANOS
- EM 2020, MAIS DE ¾ DAS MAIORES EMPRESAS DO MUNDO SERÃO EMPRESAS QUE NÃO EXISTEM OU NÃO SÃO CONHECIDAS HOJE

- O SER HUMANO TEM DIFICULDADE EM PERCEBER O RITMO DAS MUDANÇAS TECNOLÓGICAS
- EMPRESAS ATUAIS NÃO ENTENDEM A ATUAL DINÂMICA
- É NECESSÁRIA A ADOÇÃO DE UMA NOVA MENTALIDADE PARA AS ORGANIZAÇÕES: AUTODESTRUIR-SE OU SER DESTRUÍDO POR TERCEIRO

PARA ONDE VAMOS

Os modelos de gestão da 4ª Revolução Industrial

CONSOLIDA-SE UM NOVO PARADIGMA NA GESTÃO COM DIFERENÇAS PROFUNDAS EM RELAÇÃO AO MODELO CLÁSSICO

NOVO	TRADICIONAL
FOCO NO CRESCIMENTO DA DEMANDA	FOCO NA OFERTA
CONSTRUÇÃO DE COMUNIDADES	POSSE DE ATIVOS
INCENTIVO A INTERAÇÕES NA SUA REDE DE RELACIONAMENTOS	OTIMIZAÇÃO DE CUSTOS

Conclusão Bem-vindo ao admirável mundo novo! | 247

PARA ONDE VAMOS

- EMERGEM NOVOS MODELOS DE NEGÓCIOS: AS PLATAFORMAS DE NEGÓCIOS
- O CONCEITO DOS MOTORES 1 E 2 DE CRESCIMENTO ALIA MELHORIA INCREMENTAL COM INOVAÇÃO DISRUPTIVA

Os modelos de educação para a 4ª Revolução Industrial

O CONTEXTO ATUAL APRESENTA DESAFIOS IMENSOS PARA A EDUCAÇÃO

- 50% DO CONTEÚDO ADQUIRIDO NO 1º ANO DE UM CURSO REGULAR EM UMA UNIVERSIDADE TORNA-SE OBSOLETO NO 4º ANO
- 45% DAS TAREFAS EXECUTADAS POR SERES HUMANOS HOJE SERÃO AUTOMATIZADAS NO FUTURO

COMO APRESENTADO NO CAPÍTULO 4, TEMOS AS BASES DE UMA NOVA FILOSOFIA DE EDUCAÇÃO PARA UM NOVO MUNDO

A ADOÇÃO DESSE MODELO VAI PREPARAR OS NOVOS LÍDERES EMPRESARIAIS QUE SERÁ O PRINCIPAL VETOR DE TRANSFORMAÇÃO DA SOCIEDADE

O modelo de liderança da 4ª Revolução Industrial

LEMBRE-SE DAS 8 NOVAS COMPETÊNCIAS PARA O LÍDER EM UM MUNDO EM TRANSFORMAÇÃO E DA BASE DE TUDO: O EQUILÍBRIO EMOCIONAL

BEM-VINDO AO ADMIRÁVEL MUNDO NOVO!

Não existe melhor momento para se viver se comparado ao passado recente. Tudo está em aberto. O ônus da ignorância dá espaço para o bônus da ignorância. O futuro recente irá testemunhar milhares de organizações e empreendedores que farão a correta leitura desse novo código, construindo iniciativas e projetos vibrantes, disruptivos e transformadores.

Índice geral de empresas citadas no livro

1. AB InBev, 151, 182, 198, 199, 200
2. Airbnb, 44, 62, 94, 95, 99, 128, 143, 208
3. Alibaba, 110, 111, 112, 113, 114, 115
4. Alipay, 112, 114
5. Alphabet, 97, 104, 105, 106, 107, 177
6. Amazon, 42, 69, 70, 97, 98, 115, 126, 127, 143, 189, 190, 191, 195, 196, 197, 208, 213, 219
7. Ambev, 151, 199
8. Ant Financials, 114
9. AOL (America Online), 40
10. Apple, 41, 42, 64, 97, 101, 102, 124, 143, 161, 162, 208, 209, 213, 228, 232, 233, 234, 235
11. Bain & Company, 67, 119, 162
12. Blockbuster, 66, 67, 70, 85, 118, 134, 155, 173, 207, 223
13. BMW, 90
14. Boeing, 194
15. Bradesco, 78
16. Burger King, 151

17. Cisco, 127
18. Cornell Tech, 156
19. Coursera, 146
20. CUBO Coworking, 178
21. Deloitte, 15, 68
22. Draper University, 144
23. eBay, 111
24. Embraer, 129, 130
25. Facebook, 42, 62, 71, 99, 106, 107, 143, 174, 212
26. Ford Motors, 25, 87, 91
27. Fundo 3G, 151
28. GE, 32
29. General Motors, 26, 185
30. Globalstar, 206
31. Goldman Sachs, 114
32. Google, 42, 62, 71, 97, 99, 104, 105, 109, 110, 143, 175, 176, 178, 189, 208, 209, 211, 213, 217
33. Graduate Management Admission Council, 144
34. Grupo Virgin, 194
35. Harvard Business School, 31, 39, 92, 139, 145, 151
36. Heinz, 151
37. HSM, 100, 154
38. Hyper Island, 160, 161
39. Hyperloop, 163
40. Hyundai, 104
41. IBM, 127, 228
42. Intel, 34, 73, 90, 91, 204
43. Intime Retail, 114
44. Iridium, 173, 206, 207, 208
45. Itaú, 78, 178, 179
46. Kodak, 65, 122, 123, 124, 134, 173, 207, 223, 226
47. Kraft, 151
48. LinkedIn, 164
49. LG, 64
50. Lockheed Aircraft, 30
51. Mercado Livre, 111
52. McDonald's, 72
53. McKinsey, 32, 141
54. Microsoft, 34, 42, 64, 143, 173, 211, 228
55. Midvale Steel Works, 25
56. Minerva School, 144, 145
57. MIT (Massachusetts Institute of Techonology), 35, 150, 225
58. MIT Media Lab, 53, 149, 150, 154
59. Mobileye, 90
60. Motorola, 42, 64, 173, 205, 206, 207
61. MySpace, 117, 174
62. Napster, 117

Índice geral de empresas citadas no livro | 251

63. Navteq, 209, 210, 211
64. Netflix, 55, 66, 67, 70, 118, 119, 150, 218, 221, 223
65. News Corporation, 174
66. Nokia, 42, 64, 208, 209, 210, 211, 223
67. Nubank, 76, 77, 98
68. Odyssey, 206
69. Oracle, 34, 42
70. Orkut, 109, 117
71. Procter & Gamble, 162
72. Publix, 191
73. Redpoint eventures, 178
74. Redbull, 102, 103
75. Reuters, 67
76. Rockefeller, 25, 104
77. Samsung, 64
78. SAP, 34
79. Singularity University, 61, 65, 79, 144, 155, 188, 189, 207, 213
80. Snapshat, 62
81. SolarCity, 162
82. Sony, 32, 64, 65, 173, 207, 226, 232, 233, 234, 235
83. SpaceX, 71, 162, 183
84. Spotify, 212
85. Standard & Poor's, 62
86. TED, 189
87. Tesla, 98, 143, 162, 185, 220, 221
88. Toyota, 107
89. Uber, 44, 55, 62, 63, 71, 72, 73, 92, 98, 99, 117, 129, 130, 143, 184, 208, 212, 237
90. Universidade de Stanford, 38, 146, 176, 229
91. Virgin Atlantic Airways, 194
92. Votorantim, 104
93. Walmart, 70, 72, 191
94. Walt Disney Company, 174
95. Waze, 209, 210, 211, 212
96. Whole Foods, 115, 189, 191
97. Xerox, 226, 227, 228, 229, 233
98. XP, 78
99. Youtube, 143
100. ZX Ventures, 199

Referências bibliográficas

BERGER, Warren. *A more beautiful question*: The power of inquiry. New York: St Martin Press, 2014.

CHRISTENSEN, Clayton. *O dilema da inovação*: Quando as novas tecnologias levam as empresas ao fracasso. São Paulo: M. Books, 2011.

COLLINS, James C. *Feitas para durar*: Práticas bem-sucedidas de empresas visionárias. Rio de Janeiro: Editora Rocco, 2007.

DARWIN, Charles. *A origem das espécies*. São Paulo: Martin Claret, 2014.

DAVENPORT, Thomas H. *Competing on analytics*: The new science of winning. Boston: Harvard Business School Press, 2017.

DIAMANDIS, Peter H.; KOTLER, Steven. *Oportunidades exponenciais*. São Paulo: HSM Editora, 2016.

DRUCKER, Peter F. *The future of industrial man*. New Jersey: Transaction Publishers, 2011.

_____. *Concept of the corporation*. New Jersey: Transaction Publishers, 2009.

_____. *Prática de administração de empresas*. Rio de Janeiro: Livraria Pioneira, 1981.

DWECK, Carol. *Mindset*: A nova psicologia do sucesso. Rio de Janeiro: Editora Objetiva, 2017.

HAMMER, Michael; CHAMPY, James. *Reengenharia*: Revolucionando a empresa. Rio de Janeiro: Elsevier Editora, 1993.

HUXLEY, Aldous. *Admirável mundo novo*. São Paulo: Globo Livros, 2014.

ITO, Joi; HOWE, Jeff. *Whiplash*: How to survive our faster future. New York: Grand Central Publishing, 2016.

LEVITT, Theodore. *Imaginação de marketing*. São Paulo: Editora Atlas, 1990.

_____. "Marketing myopia". Boston: *Harvard Business Review*, julho/agosto 2014.

MACKEY, John; SISODIA, Raj. *Capitalismo consciente*: Como libertar o espírito heroico dos negócios. São Paulo: HSM Editora, 2016.

MAGALDI, Sandro; NETO, José Salibi. "A empresa como plataforma de negócios". *HSM Management*, São Paulo, edição 116 (maio/junho 2016).

MALONE, Michael S.; ISMAIL, Salim; GEEST, Yuri van. *Organizações exponenciais*. São Paulo: HSM Editora, 2015.

MARSHALL, W. van Alstyne; PARKER, Geoffrey; CHOUDARY, Paul S. *Plataforma*: A revolução da estratégia. São Paulo: HSM Editora, 2016.

_____.; _____.; _____. "Pipelines, plataformas e novas regras de estratégia". *Harvard Business Review Brasil*, São Paulo, Editora Segmento, edição abril/2016a.

NONAKA, Ikujiro; TAKEUSHI, Hirotaka. *Gestão do conhecimento*. São Paulo: Bookman Companhia Editorial, 2008.

ORWELL, George. *1984*. São Paulo: Companhia das Letras, 2009.

PETERS, Thomas J.; WATERMAN, Robert H. *In search of excellence*: Lessons from America's best-rum companies. New York: HarperCollins Publishers, 2004.

PORTER, Michael E. *Estratégia competitiva*: Técnicas para análise de indústrias e concorrência. Rio de Janeiro: Elsevier Editora, 2005.

PRAHALAD, C. Krishnarao; HAMEL, Gary. *Competindo pelo futuro*: Estratégias inovadoras para obter o controle de seu setor e criar o mercado de amanhã. Rio de Janeiro: Elsevier Editora, 2005.

_____.; _____. "The core competences of the corporation". Boston: *Harvard Business Review*, edição maio/junho 1990.

RAPP, Stan; COLLINS, Thomas. *The new maximarketing*. New York: McGraw-Hill Trade, 1996.

RIES, Eric. *A startup enxuta*. Rio de Janeiro: Leya/Casa da Palavra, 2012.

SCHWAB, Klaus. *A quarta revolução industrial*. São Paulo: Edipro, 2016.

SCHUMPETER, Joseph A. *The theory of economic development*. London: Routledge, 2017.

STEWART, Thomas A. *Capital intelectual*: A nova vantagem competitiva das empresas. Rio de Janeiro: Elsevier Editora, 1998.

Para acompanhar as novidades e receber
materiais extras do livro, acesse:

www.gestaodoamanha.com.br

Este livro foi impresso pela
Gráfica Bartira em papel pólen bold 70g.